JN105892

忘れないうちに今

［第2集］

…釧路新聞コラム巷論より

平成18年2月から令和2年8月まで

釧路新聞巷論として掲載。

［もくじ］

神のみはからい

アラートには冷静に　［平成29年11月10日（金）］……10

光陰矢の如し

戦争と平和のバランス　［平成30年2月17日（土）］……13

日本人心のルーツ

相手をおもいやる文化　［平成30年3月11日（日）］……16

ジャスト　オン　タイム

予定時間に終了する技術　［平成30年3月26日（月）］……19

天使の羽キャンペーン

ランドセルで国際貢献　［平成30年4月16日（月）］……22

未来へ向け夢託す若者たち

学生スポーツ不祥事に思う　［平成30年6月1日（金）］……25

● 桂歌丸師匠去る
釧路寄席の思い出 ［平成30年7月13日(金)］……………… 28
● サッカーW杯の力
サムライの善戦、日本に元気 ［平成30年7月17日(火)］……… 31
● 平成最後の終戦記念日
万感胸に迫る日よみがえる ［平成30年8月28日(火)］………… 34
● 胆振東部地震に思う
北海道150年目の教訓 ［平成30年9月18日(火)］…………… 37
● 世界への誇りと恥辱
ノーベル賞とKYB免震偽装 ［平成30年11月2日(金)］………… 40
● 鮮やかな平成の終わり
悲しみの中での昭和の終わり ［平成30年12月30日(日)］……… 43

● **第95回箱根駅伝の感動**

若きアポロンたちの疾走［平成31年1月14日(月)］……46

● **孤立するわが首相**

ノーベル平和賞推薦か［平成31年2月25日(月)］……49

● **庶民文化の華**

いろはかるたの教訓［平成31年3月13日(水)］……52

● **オリンピック500日を切る**

私見・フランス人気質［平成31年4月2日(火)］……55

● **平成から令和へ**

有史以来瞬間に立ち会う幸せ［平成31年4月29日(月)］……58

● **旅は道連れ**

札幌─釧路間、珠玉の空間［令和元年6月18日(火)］……61

悠久の薬師寺賛歌
人々が持つご縁の不思議［令和元年8月1日(木)］……64
国宝薬師寺　愛無邊
仏教用語「大安心」［令和元年8月17日(土)］……67
もてなしとは—
四国八十八ヶ所巡礼の彼岸花［令和元年9月11日(水)］……70
大丈夫か？　日本陸連
前代未聞の大失態［令和元年9月27日(金)］……73
上意下達壮大なパワハラ
ＩＯＣは独裁国家か［令和元年10月23日(水)］……76
ノーと言えない日本
ＩＯＣの支離滅裂［令和元年11月14日(木)］……79

●12月8日放送「つぐない」
ニイタカヤマノボレ［令和元年12月13日(金)］…… 82
●希望の令和元旦
新元号で始まる日本［令和2年1月4日(土)］…… 85
●変動する世界
伝統文化のやすらぎ［令和2年1月18日(土)］…… 88
●新型コロナウイルス
公開遅れ試される管理力［令和2年2月4日(火)］…… 91
●早かった政府対応だが
画竜点睛を欠く［令和2年2月5日(水)］…… 94
●悲運のプリンセス
屈辱の中のプライド［令和2年2月20日(木)］…… 97

●大人のいじめ
神戸教諭間のパワハラ［令和2年3月4日(水)］……100
●分断から統一へ
新型コロナの先の目標［令和2年4月17日(金)］……103
●命が見える
雑草にも蟻にも［令和2年4月25日(土)］……106
●天然記念樹 滝桜
日本を支える美の象徴［令和2年5月6日(水)］……109
●それでも地球は動く
ガリレオ・ガリレイ［令和2年5月29日(金)］……112
●教科書での衝撃
リンカーンズバースデー［令和2年6月23日(火)］……115

●アゲハチョウ騒動
味覚受容体細胞［令和2年7月7日(火)］……118
●ステイホームの収穫
一寸の虫にも五分の魂物語［令和2年7月18日(土)］……121
●「いのち」の神秘
アイ・アム・ア・バタフライ［令和2年7月29日(水)］……124
●チョウの残した教訓
自然の優しさ人間の愚かさ［令和2年8月5日(水)］……127
●「平和の旋律」
愛の伝道師 細川真理子氏［令和2年8月14日(金)］……130
●「巻論」の世界から
骨太の方針と成長政策への出発［令和2年8月31日(月)］……133

忘れないうちに 今

［第2集］

神のみはからい

――アラートには冷静に

〈平成29年11月10日(金)〉

秋酣(たけな)わの10月8日。土曜日夜半、私は不意に生涯最大の選択を迫られた。結果的に、生と死の岐路に立った事を知った。

夕方、腰の医療マッサージのタイミングが合わず、右肩脱臼。「痛い！」。整体師は次の予約に焦りながら救急車を手配し説明後、次へ。隊員が私を整形に連れて行く途中、急に言葉にならない激痛に襲われた。脱臼とは比較にならない痛みを隊員に訴えても、脱臼対策のための整形外科。我慢の中、一夜入院を訴えたが帰された。結果的には整形の入院では対応できるはずもなかったが、我慢は限界。一晩で救急車を二度要請するのは忸怩(じくじ)の感だったが、初めてベッドサイドのセコムボタンを握った。

後でこれが劇的に私の生命が救われる事を知った。去年の骨折は激痛後の手術で、10日間の入院は辛い──と、私の意識はここまで。病名は「胸部大動脈瘤破裂」。今、時が経つほど痛感するのは意識のない私への神のみはからい。私を受けいれたこの緊急病院、名医たちの「神の掌」、スタッフ、各部署、連休の夜半、学会出張もなく、他の手術の予約もなく、全スタッフで6時間半にわたる緊急手術を完遂。成功は10分の1の生存率の病気だった──と。翌日午後2時、集中治療室の機械が秋の陽に光り、見上げる空は高く「外国かしら?」。意識のなかった私には初対面の主治医、優しいまなざし穏やかな説明に、術後の私を襲うショックもなく、昨夜の激痛も忘れる主治医の説明が快い音楽のようだった。大手術の傷は右脚付け根付近の一カ所のみ。

獰猛(どうもう)な死から一夜で私を日常の世界に連れ戻した、名医、スタッフの「神業」。一夜でこのドラマを体感の神秘。神のみはからいの先祖の愛、友人の絆。

多くの奇跡が一筋の道を開いた。冷静沈着の外科部長、クールで優しい医長、2人の神の掌にすべてをゆだねられ、私の日常が戻り、またこれからも刻まれていく。「鬼手仏心（きしゅぶっしん）」。

密かに私はイケメン医長を「ブラック・ジャック」と勝手に尊敬している。

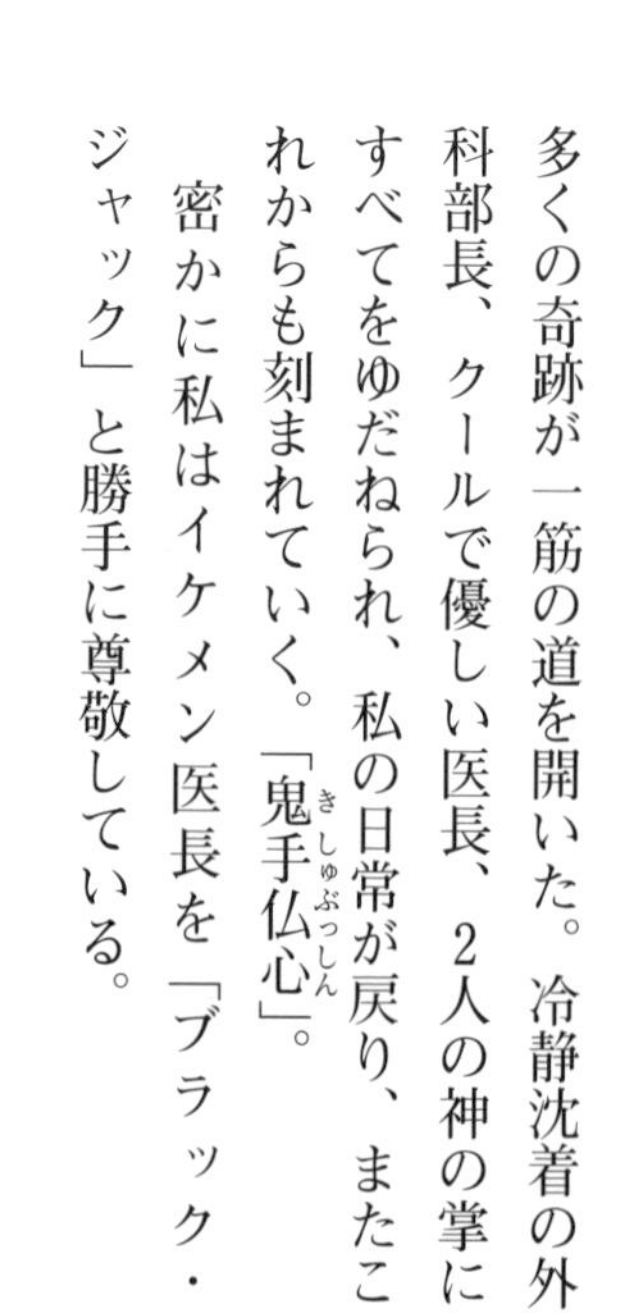

光陰矢の如し

——戦争と平和のバランス

〈平成30年2月17日(土)〉

立春を過ぎると、段々夜明けが早くなる。今年長い夜を抜けた私のターニングポイントも立春。私は立春前夜の豆撒きに凝縮された記憶が残る。母が生前この夜になると、私の2歳の節分の夜を、2歳の娘を見る眼差しで何十年も必ず繰り返していた。

母方の実家は大家族。節分ばかりは普段、謹厳、品格の長老が大枡に炒り豆駄菓子やミカンを山盛りに「鬼は外、福は内」の大音声で畳にはらばいの家族に勢いよく撒くのが通例だった。2歳の私はこのとき人生初の衝撃経験。母によるリピートもあり、今も鮮明だ。闇の中からミカンが畳をはう私の額を直撃。私の絶叫号泣に長老が閉口して懸命にあやしたと。懐かしい。

しかし、日本はこの頃から戦争態勢、やがて敗戦。戦前戦後の政府の混乱と無策は、人々の貧困、飢餓、弱者老人の虐待連鎖を招いた。長老夫妻の孤高の死。国の食品管理法を信じて水と配給食以外口にしなかった山口判事の餓死は今も記録に残る。やがてこの原体験で、当時は今の高齢化社会を予想出来ない人々に嘲笑されたり。逆に助力を頂いたりの中、老人介護の設立に奔走し夢が少しでも達成できた事はこれらを手放した今でも当時の老人たちに誇れると思っている。

立春からまたたく聞く間にもう今は平昌（ピョンチャン）オリンピック。陰惨な核の恐怖をちらつかせた平和の祭典。長崎に住んだ私は長崎の歴史と美しさを瞬時に奪った核の残酷さを知っている。これを知らない国、知らない人間が核を持つ事の怖さの他国への恫喝という観念で切札に使う。恐ろしい事だ。この祭典も25日閉幕式、疾風のように過ぎると虚しく感じたりする。

人は無力を感じるときに、救われたい安心したいと宗教に帰依するのだろうか。先日、薬師寺管主の法話に招かれ友人と出席し、日本の歴史、文明文化が聖徳太子、天武天皇の宗教への庇護がいかに人々を支えたのか改めて知った。心の平安と人の和を願うのが宗教。今数ある宗教の中で、不安の中東の紛争はどこに平和の救いがあるのだろう。

日本人心のルーツ
——相手をおもいやる文化

〈平成30年3月11日(日)〉

衣の下から鎧が見えるような不穏なバランスの中で無事に平昌(ピョンチャン)オリンピックが終わった。競技が進むうち、清々しい友情や新記録が生まれ、画面に日本の若いアスリートたちの活躍が笑顔と共に溢れた。平昌の強風の悪条件の中のジャンプの過酷さ。パラリンピックは気象条件が、どうか整いますように。政治利用目的の国、勝者が敗者の肩を抱き寄せる優しいアスリートを育てた国。オリンピック精神の原点をたぶん世界が再確認したと思う。

女性アスリートの活躍に、日本女性の美しさを再認識しようとひな祭り最後の催事、3月4日に小樽雛めぐりツアーに参加した。ひな人形の壇を店頭にたくさん並べ鑑賞する風習は各地にあるが、交易、漁業など古くから繁栄した小樽の文化は、経済の拠点の重厚な建築物、古い商家、地縁結縁の強さは、昔、私が主催した道内東北6県奉仕団体会員1000人一手に引き受けてサポートした強さで痛感した。その頃知った殷賑（いんしん）を極めた道内陸海物流原点の小樽で洗練された粋な文化も懐かしい。年代ごとにひな壇ならべた旧家、酒蔵、博物館のたくさんのひな壇に代々女性に伝承された愛の象徴と郷愁に似た感動を受けた。

その後、思いがけない別の展開。繁栄の文化の原点、手宮洞窟保存館に友人と案内された。青山別邸、鰊御殿などが小樽の繁栄の象徴と思っていたが、1万年も前からここに縄文人居住と知り感動した。さらに、近代の美の巨匠たちの作品が目を疑うばかりに壁一面の重厚な三井銀行から続く旧拓殖銀行2階の思いがけない「似鳥美術館」。まさに宝の山に入った夢心地。高校美術部で画集も入手困難な時代、夢のように憧れた国内外の巨匠作品群、高村光雲の木

彫、友人と2人だけの空間に、ヨーロッパ、アメリカなど歴史や膨大な価値は別としてこれほど直線的な贅沢感と感動を受けたのは初めて。

小樽の古代から近代への文化圏を支える小樽芸術村構想の巨大なエネルギー発信の原点似鳥会長の私財を投じた大志こそかけがえのない金メダル。きら星の美術品。万一、コピーが中に—と不安の電話確認に専門の鑑定士所属の返事で安堵の涙。

ジャスト オン タイム
――予定時間に終了する技術

〈平成30年3月26日（月）〉

日曜日「ＮＨＫのど自慢」が私の楽しみ。70周年を迎えたこの長寿番組に、ほとんどが一生一度の晴れ舞台の素人たち。時に音程、リズムがはずれても、会場の熱気と一緒に盛り上がる。鐘が二つでも、小田切千アナの巧みな司会に、皆笑顔で席に戻る。出場者一人一人を励まし、鐘が鳴れば賞賛し、会場を含め全員に満足を届け、伴奏を紹介し、シンボルの鐘紹介。出場者をややオーバーながら励ますプロ歌手、この歌手2人が持ち歌を終える頃になると、ハラハラし始める私。出場者を集めて特別賞、入賞、チャンピオンまで紹介して、必ず画面右上のカメラを引いて会場を写す。間髪を入れず「1時のニュースです」と、同時に東京のスタジオに切り替わる。

オンタイムで進行させるにはリハーサルがあったとしても、大勢の素人を明るく楽しく元気よく45分充実させる司会アナの体力と頭脳は多くのスタッフが支えているとは知っていても、宮田輝、高橋圭三等の名司会者にも勝る小田切千アナの手際良さ。

昔、私が「どさんこワイド」に招かれた時、放送席にたどり着く前の床に横たわる配線をまたぎながら着席すると、アナウンサーの巧みな話術の誘導であらかじめ打ち合わせた台本も見ることもなく、楽しく進行したが、暗い前方は数台のカメラ、モニター、スタッフ数人、終了近くになると一人が数字を「5、4、3」と大きく掲げ、私の「今日はありがとうございました」と同時に「1」が出たのはうれしかったなあ。一つの仕事でライトを浴びるには実に多くのスタッフが背後にあることを痛感した。

今、話題の「国有地売却問題」でも、公的機関があれほど複雑な組織だと最近まで理解できなかった。恣意的な判断が介入する前に、もっと、「国民のために」「日本の将来のために」と当初から考えるはずの公的機関なら、かさぶたを次々に重ねなくても、とげが小さいうちに抜くことは出来なかったのかなあ。

今、激震の国際情勢。早くジャストタイムで日本にライトが当たりますように。

天使の羽キャンペーン
――ランドセルで国際貢献

〈平成30年4月16日(月)〉

ケータイ、スマホでSNS、LINEと現在、即座の通信手段の中、20年前は個人で電話を持つ事は少なく、駅、ホテル、街中で人が集まる場所に「公衆電話」が林立していた。1通話毎に10円玉を投入するが、代わりにプリペイドカードを挿入すると、許容量会話終了後、排出される。このカードは、テレカの愛称で、爆発的に普及し、記念イベント、慶弔、PRなど、カードサイズの華麗で繊細な日本独自の芸術になった。

世界のコレクターが評価収集しているこの廃棄物を換金し、発展途上国の資金援助にしたいと考え、私は当時、所属している奉仕団体の活動目的にしたいと直接、外務省、厚生省に行って助言を求めた。そして、新宿区市谷田町の事務所に本部のあるジョイセフにたどり着き、このテーマ「世界の妊産婦と子供を守る」の主旨に添うと共感頂き即実行、北リジョン一道六県100クラブ2700人の大キャンペーンとなり、膨大な使用済みテレカが私たちの事務局で集計後、順次東京事務所に発送された。私が新宿事務所を訪問中もヤマトで35キロのテレカが木箱で届き、会員活動が誇らしかった。

テレカ2枚が、「ビニール、糸、針、はさみ」のお産セット価格に匹敵。母子の生命が守られるこの衝撃で、私たちは一層励み、第10回の北リジョン大会で、國井理事長に目録を贈呈したが、この努力で、現地に総合建築物が建ち、学校、女性の識字率、職業訓練と、多目的に女性や子供の地位向上に役立てている感謝や、現地招待まで受けたが、アフリカまではアクセスも多難で、実現出来なかったのが、今も心残り。

先日ニュースで今、ジョイセフが母子育成ケアの一つ「ランドセルを送る」

キャンペーンで各地方の支援を受けていることを知った。日本のランドセルは、小学校時代6年間使用しても美しく頑丈で、傷すらない品が多い。通信手段進化のテレカ消滅から、祖父母の愛もこもり、途上国の子供たちの勉学や生活に、再びこの愛が伝えられるのは、まさに「天使の羽」。小学校卒業記念に最初の国際貢献。段々大きなキャンペーンになりつつあるようだ。

羽ばたけ！　ランドセル！

未来へ向け夢託す若者たち

――学生スポーツ不祥事に思う

〈平成30年6月1日(金)〉

〝貴の乱〟横綱日馬富士暴行事件で大混乱だった相撲協会も、円滑に興行成績が戻り、以前に増して大人気。この夏場所も連日満員御礼。奮起した中位陣が、上位陣に迫り始めた。

中でも栃ノ心は目覚ましく、この中日(なかび)の対逸ノ城の右四つ相撲は、正面から激しく当たり、久々の正統的大相撲。以前から感心している栃ノ心の礼儀正しさは、勝ち力士が受け取った懸賞金にガッツポーズをしたり、伝統無視の省略をしたり、懸賞金を受ける時の手刀は左右正面に切る神事。左に切る時は「かみむすびの神」、右は「にがみむすびの神」、正面中央「あまのみなかみぬし」。

この三柱は五穀豊穣の神で相撲が神事のゆえん。私は、どんなに期待の力士でも手刀を十分に切らない力士は駄目と決めているが、まだまだ発展途上の栃ノ心は正しく手刀を切る。私は力士とは、稽古を重ねた上に、伝統文化の象徴としての誇りと知性と優しさを兼ねると思うので、さらに精進してほしい。

　ところが今、日大アメフト部の思いがけない不祥事。日本社会は財務省、加計、森友な

ど対応が後手後手に回りすぎる。この日大アメフト部も監督、コーチが大上段で大見得を切ったあと、教育者の基本指導責任を全くのうやむやに放棄したり口止めしたり。「出場停止もあり得る」と20歳のまだ社会経験のない若者に、教育者が自分の力を誇示するパワハラ。前途ある若者が考えてもいなかった激震の中に放り込んだ。

ある意味、日大加害者の選手は、むしろ被害者とも言える。日大は危機管理不在マニュアルのような対応。しかし巻き込まれた若者の実名、顔出しの会見を見て、昔、同年代の若者が「必ず勝つ」の大本営を信じて、特攻隊で出撃した潔さがよみがえり涙がこぼれた。

130年の歴史、日本一の学生数を誇る日大のブランドは、未来ある若者を育成し日本を支える人材を社会に送り出してこその「日本大学」。

桂歌丸師匠去る
――釧路寄席の思い出

〈平成30年7月13日(金)〉

40年前、私の所属する奉仕団体は認証を受けたばかり。当時、釧路クラブセクレタリーの私は、奉仕運営資金調達などが当面の急務で、実行委員長を兼ねて釧路と一日違いで認証された小樽クラブとの一体感は、ことのほか強い親交があったので、小樽クラブ前村キク会員は芸能界に太いパイプがあり、小樽クラブ主催で桂歌丸、古今亭馬生と、今思えばそうそうたる大御所の寄席開催を薦められた。苫小牧、旭川、小樽のスケジュールに釧路を入れる提案。みんな経験も乏しく尻込みしたが、ソロプチミスト釧路初代栗林成月乃会長の「やりましょう」の決断で、会場、宿舎、入場券の手配、販売。会員それぞれの人脈を展開し、心を一つにした大挑戦だった。

当時、芸能関係開催には、興行主を通すとは知らず、チャリティー事業達成に夢中。その中、会員も知らない間に栗林会長が自ら興行主を訪ねて、ごあいさつされたことに向こうも恐縮し快諾の旨を後で知り、会長の存在感が身に染みた。寄席は大盛況で、発券の割に椅子が足らず立ち見まで。当時「釧路時間」と言われていて、多少遅れてもいいとの認識も、裏方の出ばやしは5分前ぴったり。定刻に「ごあいさつ」と、私は裏方に小声で押し出された。壇上で観客に向き合うのは初めて。入場者への感謝の言葉など勉強になった。

打ち上げの会食の料亭「八ッ浪」は、樋口文子会員のご配慮。歌丸師匠は、にぎやかな笑いで私たちをねぎらってくれた。翌早朝に、旭川へたつ一行のお見送り手配が間に合わず、私は慌てて車中の飲み物などを用意し、駅ホームで一人見送った。その時、歌丸、馬生の大御所たちが、私一人に車中で全員立ち上がり、深々と頭を下げた。「これが日本文化の培ってきた礼儀なのだな」と感動しながら、この感動を私だけでなく、多くの会員に味わってもらいたかったと申し訳なかった。40年経つと、ゆっくりと落語界も世代交代が進んでいるが、この隙のない心遣いの伝承は日本文化の粋。

郵便はがき

料金受取人払郵便

札幌中央局
承認

5508

差出有効期間
2025年 4 月25
日まで
●切手不要

060-8787

801

札幌市中央区北三条東五丁目

株式会社共同文化社 行

お名前 （ 歳）

〒 （TEL − − ）

ご住所

ご職業

※共同文化社の出版物はホームページでもご覧いただけます。
https://www.kyodo-bunkasha.net/

愛読者カード

お買い上げの書名

お買い上げの書店

書店所在地

▷あなたはこの本を何で知りましたか。

1 新聞(　　　　　　　　)をみて
2 雑誌(　　　　　　　　)をみて
3 書評(　　　　　　　　)をみて
4 図書目録をみて
5 人にすすめられて
6 ホームページをみて
7 書店でみて
8 その他
(　　　　　　　　　　)

▷あなたの感想をお書きください。いただいた感想はホームページなどでご紹介させていただく場合があります。

〈個人情報の取扱いについて〉

(1) ご記入いただいた個人情報は次の目的でのみ使用いたします。
・今後、書籍や関連商品などのご案内をさせていただくため。
・お客様に連絡をさせていただくため。

(2) ご記入いただいた個人情報を(1)の目的のために業務委託先に預託する場合がありますが、万全の管理を行いますので漏洩することはございません。

(3) お客様の個人情報を第三者に提供することはございません。ただし、法令が定める場合は除きます。

(4) お客様ご本人の個人情報について、開示・訂正・削除のご希望がありましたら、下記までお問合せください。

〒060-0033　北海道札幌市中央区北３条東５丁目　TEL:011-251-8078/FAX:011-232-8228
共同文化社：書籍案内担当

ご購入いただきありがとうございました。
このカードは読者と出版社を結ぶ貴重な資料です。ぜひご返送下さい。

サッカーW杯の力
——サムライの善戦、日本に元気

〈平成30年7月17日(火)〉

サッカー選手にとって、最高の名誉は、ワールドカップ（W杯）で戦い、勝つこと。人種、文化が違っても選ばれた選手が、監督の采配の下で、持つ限りの才能を最大限に生かす時間の美しさ。正確な反応で、走る、跳ぶ、足を縦横に使い、ボールをさえぎる。息もつかせぬ展開の速さ。装備は、すね当て以外何もなく、サムライブルーのシャツとシューズ。最近まで私はサッカーとラグビー、アメフトの違いも答えられなかったほど。今この大歓声で、サッカーは、パネル6枚の丸いボール（W杯ロシア大会使用球）。ラグビーは楕円形で、ショルダーガードが装着できる程度で防具は基本的になしの五郎丸歩選手スタイル。アメフトは脳挫傷から守る重装備。ボールは楕円形でラグビーよりも小さく尖っている。今頃やっと分類を理解した。これもスポーツナショナリズムのおかげ。昔、梶原一騎原作のアニメ「赤き血のイレブン」が大ヒットした頃、サッカーがブームになった。私は、サッカーのキングカズ（三浦知良）のカズダンスで、けむに巻かれた頃、当時の釧路オリエンタルホテルロビーで、医師団の先頭の市立病院本田院長にバッタリ。先生は、学生時代にサッカー部に所属していたと、どこかで私が知ったとみえ、とっさに「先生、赤き血のイレブンですね」院長先生の愉快そうな破顔一笑が忘れられない。何となくイギリスの貴族の独特なスポーツのようで、なじみが薄かったサッカーと接点ができたような気がした。テニス、クリケットも同様に貴族のスポーツだったが、私も中学の時、テニスに夢中だったし、孫も幼稚園の頃、サッカー教室に通っていた。

今回のW杯にまつわるドラマの壮大さ。なぜかこのところ、世界に対して伏

し目がちの日本は、若者たちの「ニッポン、ニッポン」の歓声に、日本中が元気づけられた。カズダンスをけげんに思っていた私は、「青きサムライ」として善戦した選手たちが、萎縮し始めた日本のエネルギー回復の源になると信じている。

平成最後の終戦記念日
――万感胸に迫る日よみがえる

〈平成30年8月28日(火)〉

ＮＨＫスペシャル「駅の子」は終戦直後の「浮浪児狩り」と汚濁の象徴退治報道の残酷さを冷静に伝えていた。空襲で家を焼かれ、両親を失い、生活費、衣食住全てを失った少年少女、焼け残りの駅などに固まって生きた悲惨さは、狩り立て金網に閉じ込めるだけの治安の無策に改めて衝撃を受けた。焼け野原に引揚船の帰国者、インフラの破壊、食糧難の闇市は三国人が支配。闇米を拒否して、政府の食糧管理法内の食糧しかとらず、餓死した山口判事の信念の潔さと、逆に飢えに苦しむ人々の「米よこせデモ」が頻発した。中でも最も卑しいプラカードには、「朕(ちん)はたらふく食っている。汝(なんじ)飢えて死ね」の浅ましさ。

昭和20年9月11日、ＧＨＱはＡ級戦犯７人を突然逮捕、その２週間後の27日、昭和天皇が第一生命ビルのＧＨＱを訪問された。有名なこの時の写真には、正装の天皇と略装のマッカーサーの映像。戦勝国への表敬訪問と皆思っていたはず。しかし元帥の回想録には、戦勝国に敗戦のリーダーの責任回避が通常なので出迎えもなく、玄関に副官２人のみ。しかし会話の中「全ての責任は私一人にある」刑死を見据えてのご発言に司令はいたく感激して、打って変わった親愛の情を天皇に抱いた。国民を餓死させないと宮中の御物の提出を申し出られた。

天皇のお言葉で全国に食糧が届いたのは、政府の力ではなく民のために死を覚悟された天皇のお言葉だったのだ。天皇は「日本には戦犯はいない。全て私の命に従ったこと。自分は絞首刑はもちろん、極刑に従う覚悟だ」と国際儀礼に沿ったあいさつをされた後、このお言葉に命乞いに来たと思ったマッカーサーは驚愕(きょうがく)。命を捨て国民の衣食住に配慮を願う天皇を抱くように玄関まで

一緒に行き見送ったという。
　天皇の正装は勝者に対するものではなく、自らのご覚悟の正装だったと番組で初めて理解できた。新しい憲法のもと人間宣言をされた天皇は、平和の象徴、祈りの象徴、時代が変わっても国民を見守っていただくことを願っている。

胆振東部地震に思う
――北海道150年目の教訓

〈平成30年9月18日(火)〉

統計史上初めてという台風の5日間連続発生、併せて豪雨、風害などの予想を超える災害に、行政も後手後手で懸命の補修や人命救助に追われる。台風21号の関空の橋桁のずれは、不幸な条件が重なった末、再び日本経済の低迷を招いた。

翌々日夜中、私は下から突き上げる地震の揺れで目が覚めたが眠ってしまい、早朝、メールや着信音で目が覚めると電気は駄目、水も駄目、セコムまでまひ、一切の音がなく静寂で無気味。

充電がわずかしかないスマホだけが頼りの私に、友人たちが北海道の現況を本州のテレビを見ながら中継してくれる。私は、充電の残量が気になって上の空。次第に状況が把握でき始めると、結果的には起こるべくして起こった当然の事態とは思うものの、四国と九州を併せた面積より大きい北海道が、停電という運命共同体でズブズブと沈没して行く印象。経済的大打撃。北電の発電システムがおかしいのか、一気に全道がブラックアウトした。

万一の時に、この状況になることの予想と、これを防ぐ手段は講じられなかったのか――と、関空の橋桁に、タンカーを衝突させた船長と同じく想定外ではなく、万に一つの不幸な出来事を予想して万全を期すのが、安心安全をモットーにする組織のそれぞれのリーダーの責任ではないのかと、自分の無知を恥じつつも猛然と疑問が湧いてきた。

船長がタンカーの最悪の事態を予想して、潮流や風速の計測は資格試験に当然あるはずで、台風接近の中、無駄でもこれさえ守り距離的に安全係留さえすれば、3000人の足止めをすることはなかった。また、北電苫東にほとんどの火力を依存するより分散する方法で、少なくともブラックアウトという現象を予想し防げなかったのか不思議。

経産相をはじめリーダーたちの甘い判断に組織の追従が大きな悲劇を生み、その悲劇の痛みは、私たちが結局共有することになっている。

世界への誇りと恥辱
――ノーベル賞とKYB免震偽装

〈平成30年11月2日(金)〉

今年度のノーベル賞は、京大特別教授本庶佑氏の「オプジーボ」の発見結果で、今まで人類は宿命的に人体が、がん細胞の攻撃を受けたら外科手術、放射線療法、抗がん剤など化学療法の三つの治療でがん細胞を防ぐだけだったが、このオプジーボ投与で、元来自分の持つ免疫細胞が、逆にがん細胞を攻撃するという、かつて誰も考えなかった自分の免疫で、がん細胞を排除する力を患者自身が持つという、まさに「神の薬」。

早期発見が遅れステージが上がっていても、この投与が効果を表すという。

今までのがん宣告は、死の宣告という絶望から、世界中のがん患者に勇気と希望を与えた。30年来の研究結果が、もう少し早く薬品になっていれば——と、つらく残念な家族もいるだろう。私もその一人。この苦しみが、やがてなくなる——。がん患者の明るい未来の扉を開くオプジーボ製品化に、本庶氏自ら奔走。米国が乗り出すと、やっと小野薬品が承諾した。今や株も急上昇とか。特許も流出することなく日本の財産。

私たち日本人が世界に胸を張った直後、言葉すら失う偽装問題。地震大国日本だからこそ世界に誇れる免震装置を託されたKYB。地震発生直後、大勢が避難する公的な建造物の、まさに心臓に当たる免震制震装置の油圧偽装を納入時期に合わせ、偽装を承知の上での手抜き。被災者の信頼に応えるはずの技術を持ちながらあえて偽装した。皆、自分たちの命を守る庁舎、病院、学校も祈る思いで免震装置の完成を信じて待った。ところが免震耐震装置に膨大な虚偽があり、しかも内部告発という近代技術にそぐわない情報流出で、今や世界注目の的。人命の安心安全こそが、日本がよって立つ大きな誇り。この信頼の原点を平然と無視したＫＹＢの大罪。

ドラマ「下町ロケット」の苦闘こそ日本の技術の原点と信じている。世界に誇る免震制震技術への信頼は、監督官庁の厳しい指導がなければ信頼に値しないということか。

鮮やかな平成の終わり
――悲しみの中での昭和の終わり

〈平成30年12月30日（日）〉

日一日と夜が長くなる闇から、光が戻り始める分岐点、冬至。柚子を早くから用意して待ちかねた12月22日の冬至の柚子湯。平成最後の柚子湯だなぁーの感傷。

昭和63年の夏、昭和天皇が重い病に倒れられた。日本を覆う沈痛な空気。当時、私の娘が秘書で勤務していた東京大学第一外科の森岡恭彦教授は、昭和天皇主治医として医局をあげての集中治療は、娘は何も語らないが緊張はそばの私にも伝わった。

そのころ私の所属する、国際奉仕団体が仏領ニューカレドニアのヌーメアの新クラブ認証式に、中央リジョン、東、北各リジョンから数名。北は秋田の辻昌子会員が加わり、今は亡き塩月弥栄子先生のお仕事に便乗して、ニューカレドニアヌーメアクラブの認証式に出席した。フランス女性のみの新認証式は、ほとんどリゾート気分で日本の厳粛な式典と違うなーとカルチャーショック。この新しい友人たちから案内されたショッピングでまたショック。暑い中タクシー待ちの長い現地人の列に、私たちの荷物を抱えた仏人女性はサッサと前に進み先頭の現地人に一言もなく当然のように私たちの荷物を車に入れ乗車を促された。行列に申し訳ないと思いつつ乗り込んでしまった。現地人の無表情が心に痛かった。

南十字星が輝く夜の空港から赤道を越えて帰った日本は、寒く沈痛だった。昭和64年1月7日昭和天皇崩御。元号が平成に変わった。2月24日「大喪の礼」。日本中が喪に服した。崩御で元号が変わる歴代のさだめから、平成30年今上天皇は、初めて退位を希望され、国の制度は大きく動いた。習慣的にあの

重い時間を共有していた私たちは、今、明るく和やかな天皇皇后両陛下の慈愛に満ちた眼差しに、あの崩御と同時に変わる元号を「今年で平成が終わる！」と明るく振る舞えることは、いままで考えられなかった。今上天皇ご健在の中で譲位でこれに伴う、世界に類を見ない古来伝統文化の諸行事を奉賀一色で経験できる価値の大きさ。退位される天皇の計り知れないお力は正に象徴の慈愛。

第95回箱根駅伝の感動

――若きアポロンたちの疾走

〈平成31年1月14日(月)〉

新しい年の始まりの1月2、3日、この日のために満を持した若者たちが、母校大学の誇りを懸けて競う箱根駅伝。1月1日は、群馬県庁発着の100キロのニューイヤー駅伝がある。旭化成、ホンダ、コニカミノルタ、住友など、所属する実業団、オリンピックも射程に入れる大人の風格社会人アスリートのマラソン。翌日の箱根駅伝。往復10区。変化に富む箱根路の初々しい若者たちの全力疾走。所属する大学の誇り、監督、部員たち、それぞれの家族たちのこの日のための壮大なドラマの集大成。各区間は刻々と、温度、風、湿度など、地形によって目まぐるしく変わる箱根路。幼な顔さえ思える若者たちのひたむきな力走に、この一年どれ程の汗があったかと、勝利を目指し限界に挑むこの若さ。この美しさ。第2次大戦、同じ年代の若者たちが、軍靴を履き、地をはい飢えに苦しみ、銃声を浴び死んでいった。22歳、インパール作戦で遺骨すら返らない、私の叔父の青春のむごさを、この爽やかな若者たちに決して経験させてはならないと思う。

1号車は、レース先頭の接戦を中継する。皆テレビ前で固唾をのんで見詰める。2、3号車は、シード校（来年出場権利校）の10位までを争い、死力を尽くす選手たちに私は感動する。走者は必死に近づくのに時間切れになり、待つ走者にたすきが渡せず、それでも中継所を目指す走者、たすきを受けられずスタートする走者、つなげないたすきを渡そうと走る選手。受け取れず心を残して出発する選手。毎年この場面になると涙がこぼれる。ゴールで歓喜する学生も、敗者にその全力をたたえる若者たちも日本の未来の宝。

それにしても年末年始盛んだった「DA PUMP」の社会現象は何だろう。

U.S.A.。「カモンベイビーアメリカ」の意味不明。戦後すぐ、「アメリの大好きアメリカよいとこ歌を踊りて夜が明ける」「カモナマイハウス」。敗戦後、アメリカとの格差のカルチャーショック。強気のトランプ政権で悪夢の再来かと、こちらの若者も心配。

孤立するわが首相
――ノーベル平和賞推薦か

〈平成31年2月25日(月)〉

国会中継の映像に、耳目を疑ったのは、私一人ではないだろう。

首相は明言を避けたが、米国に難民流入を防ぐため、「公約」の国境の壁への執着は、おびえた子犬の目の幼子、抱きしめる母、ぼうぜんの父たちは自国の崩壊で、生きたいと豊かで広大なアメリカを目指す人々を犯罪者と決め付け、彼らを断固拒否するアメリカトランプ大統領。この彼を平和賞に推薦することは明言こそしないが、ほとんどブラックジョーク。この得意顔の彼が、ノーベル賞候補に安倍首相から推薦されたと発言。

この賞には、50年間は詳細を明かさないルールがあるとのことだが、世界中が非難する相手をもし推薦していれば、首相のルール無視の発言は世界に向かって立つ瀬がない。

米大統領の特権「大統領令」を議会承認もなく壁の予算の決定署名に至っては、世界中が驚いたと思う。しかしあえて安倍首相が、北朝鮮の核廃絶に動いている表面上の理由だけで大統領の自尊心をあおったのは、首相の苦しい判断だと思う。

当選直後、フロリダでのゴルフに駆け付けパターを贈呈し、あの中曽根元首相の「ロン、ヤス時代」の再現を願う涙ぐましい努力。しかしTPP離脱、関税の値上げなど情け容赦ない追い打ち。わが国周辺は、中、ロ、まして、もはや北朝鮮と合併した鼻息の韓国、攻撃すら許されないわが国の兵力の周辺は飢えた猛獣の徘徊（はいかい）。

プーチン大統領来日時、山口の温泉旅館での会議の安倍首相のロマンに、遅刻するやら早く帰るやら、心を込めた日本文化のもてなしも上の空のプーチン

大統領。兵力、資力の乏しい日本のリーダーの責務を果たすには、他国が思いも付かない奇策で相手の自尊心に触れ存在感をアピールする選択。

5月に国賓での大統領訪日決定で、日本人たちへの好感度をアップした。これでノーベル平和賞推薦はほぼ決まりだろうか。

〈平成31年3月13日(水)〉

庶民文化の華
――いろはかるたの教訓

日一日と明るくなる3月。目線が上がる。目線が下がる冬は「かるた」が楽しみだが、百人一首もいろはかるたも今はもう棚の上。しかし今、痛感するのは、江戸、上方の頭出しの一字が、いろは48文字のことわざと、分かりやすい絵、頭出しの平仮名で一対のいろはかるた。

「犬も歩けば棒にあたる」「論より証拠」(もちろん平仮名)。「花より団子」「憎まれっ子世にはばかる」「仏の顔も三度」「平気の平左」「とらぬ狸の皮算用」。3歳の時、弟が生まれ、まだ若く忙しい両親から、幼い私に今も印象に残る、分かりやすい絵に頭文字が大きく白抜きで48のキャッチコピーで続くいろはかるたを与えられ、私はこれで初めて文字を覚えた。一人遊びでひらがなと、ことわざを覚え、分かりやすい字と庶民文化との一致を理解して納得。今も絵や、字のデザインまでよみがえる。

いろはかるたのことわざは、古い歴史を持ちながら、現代そのまま。「い」「犬も歩けば棒にあたる」。先日、私は不意にエレベーターに挟まれ転倒した。「ろ」「花より団子」は面子、誇りより、もうかればいい、の実業界。「ろ」「論より証拠」は国会では連日大論争。「に」「憎まれっ子世にはばかる」。一党多弱の強さ。「ほ」「仏の顔も三度」。これほど手を尽くしても無理難題の北朝鮮の拉致問題。「へ」「平気の平左」。日本偵察機が照射されたと抗議しても痛くもかゆくもない韓国。「と」「とらぬ狸の皮算用」。北方四島が返還された後の経済発展。48文字全部が、適切な日本古来の庶民文化で、そのまま現代を風刺している。

私のニュースの裏側を見る癖は、3歳の柔らかい頭に最初に刻まれた、いろはかるたがルーツかもしれない。ただ一つの不思議な札は、「つ」「月夜に釜を抜く」。黒い影絵の泥棒が三日月の下、釜を抱えている札。両親に聞いても「さあ」。後年やっと判明。配偶者の女性が月の経りのとき、男性の、今言うオカマで用を足す、庶民文化の大らかさに笑ってしまった。いろはかるたは不滅の庶民文化予言集。

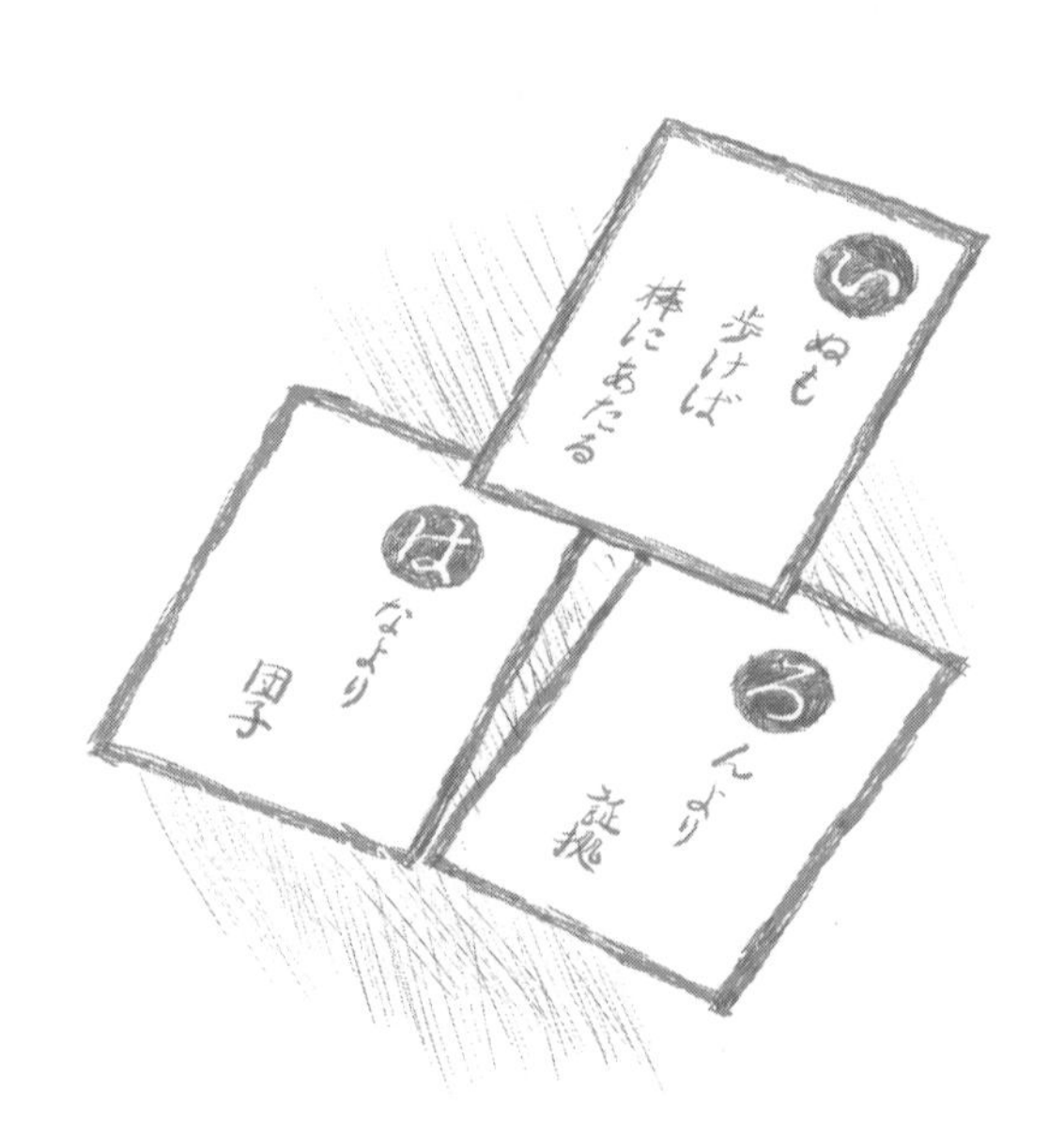

オリンピック500日を切る
――私見・フランス人気質

〈平成31年4月2日(火)〉

シャンゼリゼ。パリジェンヌ。世界ファッションの華、パリコレ。半面、現政府への過激なデモ、テロ、略奪。有名ブランド店ウインドが割られ商品は暴徒の餌食。話は変わるが、各国の国歌は、民族伝統、誇り祈りを表す、歌うエンブレム。わが国の君が代、米国の星条旗よ永遠なれなど。ロシアも美しい自然、中国国歌は日本で生まれた義勇軍行進曲。が、仏国国歌は革命歌。今に残る華麗な建築、美術、世界遺産の数々を築いた王政のルイ16世、マリーアントワネットを断頭台に据え、拍手で見物した残虐のDNAを持つフランス気質を私は感じる。

昔、ヴィトンを買いあさった日本人を「眼鏡をかけた黄色い猿」と称したフランス。店員は剣もほろろ。冷笑して代金を受け取る店員。「先帝の泥靴もて自由を踏みにじり、我らの血と汗に傲れる者よ」「進め進めいざ進め、旗をうてや」あまりの過激さに翻訳もまちまち。自国の王政打倒が国歌。この国はロイヤリティに恨みのDNAがあるようだ。今度のJOC竹田会長は、旧皇族。血統、品格、JOCにこれほどの象徴はない。がここで今、フランス人の日産ゴーン会長逮捕の恨み。日本のロイヤリティを辱めることこそ、わが使命と、国歌DNAそのままのフランス検察。竹田会長もロイヤルスポーツの乗馬でモントリオール大会経験者でJOC最高シンボル。オリンピックの開催直前、むしろ直前こその起訴に違いないと、次々に疑念が浮かぶ。

昔、友人家族、娘と私で2台のトヨタカローラのレンタカーで数回、欧州を巡った。パリで画家宅の居候も経験。夫人（男性）は美青年であいさつに困った思い出。今、欧州連合（EU）を語るのは尚早だが、地続きなのに、言語、

気質、経済構造も全く異なる。国境のない日本に守られている私たちの幸せは計り知れない。今、日本主催の世紀の祭典が500日を切る中、フランス検察の突如の捜査。肉食で石の歴史文化の民族と、草食、紙と木の歴史文化民族の私たちと融和し力を合わせてこそのオリンピック精神なのに──。

平成から令和へ
――有史以来瞬間に立ち会う幸せ

〈平成31年4月29日(月)〉

古来、日本歴史文化の中で、歴代天皇が崩御の後、「もがり」(喪中)の深い悲しみの中、新年号設定、旧年号が崩御された天皇の送り名になっていた。有史以来、思いもつかない生前譲位を今上天皇が申し出され国民の衝撃の中で、生前の譲位が決まり、私たちは昭和まで公的に控えてきた華やかな行事すべてが、令和が決定したことで祝賀ムード一色で、このご生前譲位は、これこそ究極の「神対応」。経済効果は計り知れない。

5月1日に、ご即位の令和天皇の浩宮徳仁親王殿下は、皇太子時代、民間から入内された美智子皇太子妃殿下の第一子。開かれた教育で、健やかで聡明な優しい青年に育たれ、22歳で英国オックスフォード大学に「水」の研究留学された。その頃、私の娘も友人の次女とジュネーブに留学中。これを口実に、私たちも度々、ヨーロッパ貧乏旅行。

あるとき立ち寄った、ローマのバチカン広場の大群衆の中から、日本人司祭が近づき「浩宮様のおなりです」。群衆をかき分けロープの最前列で「宮さまー」法皇とご一緒の殿下がほほ笑まれた。私たちは満足して、大聖堂をゆっくり拝観礼拝、その後ローマのコロシアムに向かった。2階に昇り掛けた時、警衛の一人が急いで降りてきて「殿下は今お一人です」。彼の知人が私たち一行の中にいて、殿下のおそばに招かれた。ガイド役の現地画家を始め難民同様の私たちが、すっきりと立たれた殿下と並ぶ写真が今も手元にある。後日、友人の母上が宮内庁主催の写真展に招かれ、この時、殿下に、「娘たちがパリで—」「いえ、ローマです」。その後、「随分前なのに大変なご記憶力！」と皆で驚いた覚えがある。ローマから米国経由で、ご帰国の殿下を車までお見送り

のとき、娘が大声で「聖心の後輩でーす」殿下はにっこり。
今上天皇は戦後、米国から派遣されたバイニング夫人で英語を学ばれた。新天皇は、英国オックスフォード大学のキングスイングリッシュ。
新天皇は、新元号のもと、平和の象徴として大きく世界に輝いていく。

旅は道連れ
――札幌―釧路間、珠玉の空間

〈令和元年6月18日(火)〉

ＪＲ札幌―釧路間は、事故多発、車両も古く、揺れ、急勾配などなかなか快適とは言い難い。車内販売も停止。旅の楽しみ駅弁は、始発駅の購入のみ。が、数少ない釧路、札幌社員の応待はあたたかい。単線のためのすれ違い停車、徐行と、乗客側も覚悟がいるが席に落ち着いたあとの隣人が楽しみ。4時間余り見知らぬ人と相席する不思議。自分の意志が入らず、初めての出会いの中で固定されていや応なしに、4時間を共有する隣人。ここで私の知らない隣人の社会に触れる楽しさ。

先年、サンマの季節に千歳から乗り込んだ男性は、通路側の私の足をまたい

で右側席に。通路側私は、左小指先がない男性の手が、チラチラ見えてドッキリ。眼光の鋭さに気後れした。だが話してみると、彼は本州きってのサンマ漁のプロ。要請され網元行きの途中、そこで私はかねてから疑問だった棒受け網、刺し網などの無知の質問に快い回答で、大漁の天候の見分け方など知って私はすっかり漁師気分。またある時、札幌で買った駅弁を広げると、イヤホンで音楽を聞き、静かに読書の銀髪の紳士が突然私の右手を握り「箸が逆さま！」なるほど、太さがあまり変わらない割り箸をつい上

下逆にさしてしまった。紳士は箸を私に持ち直させ、この煮付け、次はこれ、次はそれ。私はあっけにとられ笑うのを我慢してやっと食べ終わろうとすると、「これで結んで」とひもを渡され、さっさとごみ箱に。何?。何?。私は笑いをかみ殺すのに苦労した。そして、彼はまた静かに読書に移った。何?!。

先日は、列車の床にスマホを派手に落とした。後から堂々の男性が着席。圧倒されて近くの空席に移動しようとしたら「構いませんよ」。で着席。しかし、落としたスマホを片手に途方に暮れる私に自分の充電器をつなぎ、壊れていると判断しながら充電器の電池がなくなるまで大きな手のひらで包んでいてくれた。話しぶりから、たぶん私服の海上保安官。スマホ廃棄の時、彼の温もりと別れるような気がした。旅は道連れ世は情け。

〈令和元年8月1日(木)〉

悠久の薬師寺賛歌

――人々が持つご縁の不思議

「ゆく秋の大和の国の薬師寺の塔の上なるひとひらの雲」で象徴される奈良の薬師寺は、法相宗大本山。日本の、世界の、人類の至宝。

1300年前、天武天皇の勅願で建立された薬師寺。世界最古の木造建築。激動の日本史の中、皇、貴族、民衆の厚い信仰心で、一部損傷はあったにせよ、1300年続くこの奇跡。日本の宝。

本堂、東塔、食堂(じきどう)、多くの伽藍は、境内に満ちる天平の息吹に包まれている。この薬師寺の安田暎胤ご長老、ご夫人の順惠先生は、私と同じ国際奉仕団体役員。かねて私が出版した釧路新聞巷論「忘れないうちに今」コラム集に熱心な応援をいただき、親族、友人、仲間の激励の中、薬師寺長老ご夫妻はもちろん、東大第一外科森岡元教授、三好昇江別市長、防衛庁幹部ＯＢ、40年来の友人鎌倉元有名料亭田中双葉会員、東北は、天童の篠原ゑみ子、桜の田村の博多泰子両会員、地元は孝仁会原田英之院長、渡辺礼子先生、長谷川雅子会員。札幌では久門孝三道警元方面本部長、謎の美女尾崎文香氏。身にあまる激励で「巷論」を出版してよかったー。

その上、胸が詰まる衝撃を受けたのが、安田順恵先生のメール。私が知らないうちに、「忘れないうちに今」の出版後にたまった巷論をまとめて購入いただいた順恵先生に、折々、お送りしていたコピーを、長老様自ら出入りの出版社に届けられて「簡易装丁で製本したので、10冊送ります」。その優しさに涙ぐんだ。薬師寺の、あの高名な長老様が「巷論」第2部として簡易製本してくださるなんてー。ご縁は不思議。私がこの国際女性奉仕団体に在籍したからこそ、長老様ご夫妻の慈愛がいただけた。40年来の鎌倉の元有名料亭夫人もかつて会員。彼女の国連勤務の姉上の紹介で娘のジュネーブ留学、その間にオックスフォード大学から帰国途中の、若き今上天皇と、私たちのローマでのエピソード。数々の出会いのご縁。

「排除」からは何も生まれない。「出会いのご縁」を大切にすることこそ、限りない未来への可能性。

国宝薬師寺　愛無邊(あいむへん)

――仏教用語「大安心」

〈令和元年8月17日(土)〉

「奈良七重七堂伽藍八重桜」あの「古池や――」の俳聖芭蕉も絢爛(けんらん)の白鳳文化にこの感動。中でもひときわ美しく、凛(りん)とした薬師寺。ここの安田暎胤ご長老夫人、安田順恵先生はシルクロード研究を始め国際的な活躍の中、私の所属する国際奉仕団体役員のご縁で、私の元気や夢が大きく育っていった。

先般、私が出版したコラム集「巷論」(釧路新聞掲載)を夫人に贈呈すると、大変な評価をいただき、同時に「分かりやすく世界や身辺のことなど理解できる」と力づけられうれしかった。その後、順恵先生にコラムの切り抜きを折々お送りしているが、突然「コラム切り抜きを主人が親しい製本屋さんで第2部として簡易製本したので10冊送ります」との連絡に言葉もなかった。8月1日に「悠久の薬師寺」掲載後、長老様からの思いがけないファクスで正確なアドバイスを頂いた。「悠久の薬師寺」コラム10行目「一部損傷はあったにせよ」を削除し以下を「度重なる人災、天災で多くの建造物を焼失したものの、昭和・平成の御代に、金堂・西塔・大講堂・食堂(じきどう)等七堂伽藍が復興され白鳳の息吹を醸し出している」(原文のまま)。長老様から頂いた大改築のエッセンス。また順惠先生の「惠」が「恵」という漢字に丁寧に修正され、大事な花押の誤りが申し訳なく自分の浅学が恥ずかしかった。

私のコラムの漢字が時々新聞パターンにない字があり、私のリクエストを編集で変更されることがあるので、この「惠」も心配したが起こしてもらえた。良かった。しかし国宝薬師寺の長老様から、直接ご指導いただけるなどとは思ったこともなかった。

人の運命は、あざなえる縄、九死に一生の大動脈瘤(りゅう)破裂からよみがえり死線を超えると、たくさんの愛情が待ち受けていて、今まで分からなかったこと、また多くの側面が見えてくる。白鳳の風に包まれ、改めて振り返ると多くの出会いや可能性が与えられていた。出会いの神秘に感謝し、行動することで自分の可能性が広がる。これが人間の尊厳。

もてなしとは――
――四国八十八ヶ所巡礼の彼岸花

〈令和元年9月11日(水)〉

厳しかったこの夏でも、季節は移る。木々は鮮やかで、釧根が一番輝く時。味覚を求め観光客が増加。最近はレンタカーで巡る人たちも多いが、私は少々割高でも、観光はタクシーだった。3、5泊にしろ、その地元に通じたドライバーから聞く地元の文化、生活、もてなしの心。客が感動すると、地元ドライバーはさらに美しい、楽しい、おいしいところをと案内。このホスピタリティが観光客の心にどれほど染み込むことか。

昔、娘と初めて訪れた沖縄では、空港待ちタクシーで地元愛あふれる案内に感激していると、3日目、他のドライバーに交代するという。「エー」と2人でがっかりすると「親戚の結婚式ですが出席ください」。また「エー」旅先のことでジーパンの2人は慌ててブラ下がりを買った。なんと沖縄の結婚式出席！。地元の文化会館に200人の門中（一族）。中央の長老のテーブルで来賓格おもてなし。壇上ではドレス姿の新郎新婦が「アーイーヤーサッサ、ハッハッ」と沖縄踊り。門中、私たちも総立ちで「アーイーヤーサッサ」楽しかった。

また、夫生前の秋に四国遍路を思いたち徳島空港へ。空港待ちタクシーの、徳島愛象徴のようなタクシードライバーの案内で、一番札所「霊山寺」で白ハッピ、つえなど整え、いざ出発。少し病んでいた夫を気遣いつつの案内。道脇には無人無料の野菜や果物など。これも地元のおもてなし。数日、巡礼の後、市内に戻り阿波踊り会館で無料阿波踊りレッスン。帰路、実家が空港に近いらしく、私たちが搭乗手続き中に、息せききって、まだ温かい鳴門金時の細い焼き芋を「女房から」とズッシリ一袋。帰釧後、厚岸サンマを送ったら、ま

た鳴門金時とスダチがどーんと届き、うれしかった（ただし送料着払い）。以来毎年の友情。

夫が逝った年の秋、徳島から彼岸花の球根が届いた。豊富に湧出する温泉を利用した温室を持つ釧路北病院理事長（実弟）に贈り、以来、職員の丹精で株も増え、今年も彼岸花の時がくる。

おもてなしは世界が広がり、人々をつなぐ。

観光業務の皆さま、釧根をよろしくお願いいたします。

大丈夫か？ 日本陸連
――前代未聞の大失態

〈令和元年9月27日(金)〉

「走る」、「跳ぶ」、「投げる」ヒトが進化する過程の獲物を狙う能力の原点。これを十種競技とし、棒高跳び、砲丸、やり投げ、トラック競技など組み合わせたスポーツ。近代十種競技の日本記録保持者、右代啓祐。ロンドン、リオでは日の丸旗手。十種競技最多のV8。絢爛(けんらん)の集大成を東京五輪で見事に開花させる世界陸上代表内定を日本陸連が出した。2020五輪開催国の誇りを賭けた決意の中、9月18日、突然の内定取り消し。日本陸連の手落ちで、国際陸連に右代選手の出場を拒否されたと日本陸連が内定取り消しを発表。五輪開催国の世界陸上十種競技に、日本代表選手の欠場とは。日本陸連の重大責任。オリンピック出場の花形を国際陸連から拒否されたことは、日本陸連の大失態。日本中を巻き込んだ大混乱。世界へのイメージダウンが心配された。

ところで右代選手の父上啓視道立博物館研究部長は、北方四島考古学埋蔵歴史文化の権威で私の師、友人。釧路新聞に度々掲載されて釧根地方と関わりも深い。

以前、啓祐選手がアメリカ遠征中「嫁が孫連れで釧路の愛国自動車学校で免許取得中、孫娘が突然発熱」と父上から土曜夜、札幌で友人と食事中の私にSOS。翌日曜に、私の弟が理事長、私も役員の釧路北病院から当番病院の日向小児科に依頼し患者は日向小児科へ。日向院長は、私たちソロプチミスト釧路の故会員のご子息。快諾の処置で解熱。翌日、もう親子で自動車学校へ。ここに北病院職員子息が勤務。北病院からも応援あり、見事目的達成。帰京の日は大吹雪。欠航に備え、釧路町から遠路橋口暁子会員が見送りの調整中、第一便で飛び無事帰京したの連絡でドラマが完結したものだ。

近代十種競技覇者のファミリーを、日本中のみならず道東の多くの人が支え、オリンピックに参加したような誇りを持ち、オリンピックへの熱も高まった。

この原稿を書いている時、何と、国際陸連が右代選手を招待選手で出場させるのテレビ速報。またまたサプライズ新展開。日本陸連どころか、われわれも振り回された。とりあえず東京五輪の象徴、十種競技が復活できる。よかった。釧路新聞のスポットライトで北方四島考古学埋蔵歴史文化権威の父上や、右代啓祐選手、十種競技にも、また日本陸連の体質まで勉強できた。よかった、よかった。

上意下達壮大なパワハラ
——IOCは独裁国家か

〈令和元年10月23日(水)〉

19号台風の無残な現実とは思えない悲惨な現場の被害は、まだ明らかでない上に、また激しい雨。日本中、心を痛める中で、被災者が生活設計の見通しのない中、諦観というか、現実を受け止め、テレビで穏やかにほほ笑みを浮かべ対応する姿を見ると、日本人の国民性に感動する。地面をたたいて怒号する国民性の国との違い。この忍耐の民族性、忍耐の感情が報われ留飲を下げたラグビーの活躍。スポーツは、人間の秘めた可能性を高める。諦観を躍動感に変えたに違いないラグビーの闘志。

ところでオリンピックも300日を切り、開催国としては、大会の安全、安心、平和に進行するために、日本オリンピック委員会（ＪＯＣ）始め関係機関が万全を期し「東京」にこそ意義があると、コンパクトな大会予算８２９９億円で立候補。が今３兆円（会計検査院）に膨れ上がったという。そのうち３００億円は、大会の華マラソンの国道、区道の遮熱舗装費。ＪＯＣは、立地条件を満たした東京の有名な観光地をアスリートファーストで計画していた。青天のへきれき、国際オリンピック委員会（ＩＯＣ）バッハ会長の「平均気温の低い札幌へ。選手第一」と。今まで私は、東京のマラソン大会の往復を幾度も見ている。復路、溜池左折急坂の青山通りで道端に座る選手を多く見た。が、最後尾には救護車が配置され棄権の選手たちを次々にピックアップ、命の危険などあるはずもない。東京は、都、区のマラソンルート１３６キロに３００億円の出費。満を持してＩＯＣ、組織委員会も通過。ところが開催国の意向も無視、突如の変更。ＪＯＣは十種競技資格ミスで足元をみられたか。

札幌市長は困惑しながら「光栄です」。とんでもない。長い冬季雪道は、除

雪車で雪をガリガリ削った跡が残り、補修もちぐはぐ。建て替え直前ドームは出入り口も狭い。何より市民さえ歩きにくいこの道路をアスリートが走るのは世界への恥。選手にとって気温より脚が命。スポンサーも間に合わない。札幌市民は身に余る負担を強いられて破綻は目に見えている。札幌が破綻すれば北海道も沈む。
　返上。これが私の考え。

ノーと言えない日本
――ＩＯＣの支離滅裂

〈令和元年11月14日(木)〉

整備され、東京の誇りをかけて、万全を期したオリンピック総仕上げの華、マラソン。各競技場に行けない人たちが、オリンピックを直接肌で実感するマラソン。選手も人も現代の東京の文化を実感できる、いわば観光コースは、安心安全の警護、３００億円整備のコースでオリンピック史上類を見ない完璧な準備のマラソン。丹精込めた国立競技場のゴールの総仕上げでこの祭典が終わる。

３兆円の大赤字も、この成功でスポンサー収入が増え乗り越えられるかと思った実行委としてもまさにぼう然。心労のためか、めっきり疲れ顔の森組織委員長、鈴木知事と札幌市長が、コースも費用も未定のままの会合。言い出しっぺのコーツＩＯＣ副会長は顔も出さない。また森組織委員長が、マラソンの日程を変更して、閉会式に全選手が参加するため途中繰り上げの案も「マラソンは最終日」とバッハ指示。８００キロの瞬間移動?。建築にも数々のドラマの国立競技場の総仕上げでマラソン選手たちはここから皇居外苑、銀座、浅草、東京タワー、東京の文化の中枢を走り、テレビで世界中に中継される。東京を世界にアピールするまたとない機会。舗装も高低差も警備も完璧なことは、バッハＩＯＣの会長もテレビで公言している。日本も東京も高揚した達成感の中、突然のちゃぶ台返し。暑さに対応練習したアスリートたちも困惑。札幌のコース確認も道路状態も確認さえしないＩＯＣ。まして札幌は寝耳に水。冬季オリンピックが不安になり慌てて受けたのかもしれないが、ＩＯＣはこのありさまで先のことは分からない。何より道、市の経済増収の時期に何日かのため、東京のメンツをつぶし、誘致もしないマラソンで北海道の大事な時期に

受けるとは。その上、警備、移動、補修、後始末など出費は膨大。経済損失は計り知れない。数年越しの準備で総仕上げの東京に平然とマラソン却下のＩＯＣ。フランスの横やりで竹田会長（当時）退任でよかった。皇統が汚れるところだった。現会長はたくましいが、「ノーと言える日本」は無理か。

12月8日放送「つぐない」

――ニイタカヤマノボレ

〈令和元年12月13日(金)〉

昭和10年頃から日本は、ＡＢＣＤ包囲網、つまり米国、英国、中国、オランダから貿易制裁を受け、石油、その他、大幅な制限をされ、支那事変も資源がないため、解決が遅れた。そこで日本は「大東亜共栄圏」構想で、アジアで米国、英国、仏国、オランダが支配する植民地を国として独立させ、植民地で搾取されていた富を、アジアで共有する理念で宣戦布告。これが大東亜戦争（第二次世界大戦）。

昔、グアムでガイドの老人が「日本は働く教育。アメリカは与えるだけ。若者が働かない」の言葉が印象的だった。資源の乏しい日本の戦いは、多くの名将の下で初期は勝利したが、物量を誇る米国は、人間の枠を超える大罪、老若男女全滅の原爆を投下、二都市を消滅させた。この大罪。戦犯とは何？　戦勝国が敗戦国を裁く不遜。

極東軍事裁判は、一方的な戦勝国の報復ではないのか。12月8日深夜のSTV放送「つぐない」。A級戦犯処刑後、BC級戦犯と決めつけられた人材たちが、苦悩の日々を巣鴨プリズンで送るドキュメント。戦勝国の発想に翻弄(ほんろう)される惜しい人材たち。収容所は大部屋、13号扉から刑場に送られ、骸(むくろ)になり帰ってくるところ。朝鮮戦争が始まると死刑から一転、放免―。アメリカの都合に翻弄された。

亡夫の実家、島根県浜田市の一族、父方の伯父は、日本海軍旗艦「長門」の艦長。軍服の伯父の当時の写真は、国宝「長船(おさふね)」に手を添え堂々たる海軍の象徴。この彼がC級戦犯。収容されなかったが、衝撃は大きく、自宅の畑の肥おけの肥ひしゃくに、家伝来の長やりのけらくびを落とし、肥ひしゃくの柄にしたと親族の間で評判。もっとも私たちにはすてきな紳士だった。

今も日本は自衛の武器だけで、現代のＡＢＣＤ、おまけにＫに囲まれている。12月８日のニイタカヤマノボレの暗号で世界は大きく変貌した。「つぐない」は、向こうが要求するだけか、こちらは要求できないものなのか。

希望の令和元旦
――新元号で始まる日本

〈令和2年1月4日(土)〉

日本に「令和」の元号を刻んだ令和元旦。激しい世界情勢の変化、目まぐるしい気候変動、被害は日本だけではなく、世界中から信じられない数々のニュース。この中で、私たちが夢心地になった天皇即位礼。平成までは天皇崩御の厳粛な重い空気の中の即位は、荘重でも、もろ手を挙げる祝意ははばかれた。しかし上皇のご意思でのご退位は、私たちにつぶさに日本古代宮廷文化はじめ、衣装にも冠、束帯など有職故実(ゆうそくこじつ)(平安以降天皇、公家、武士などの正装、式典など)を現代の祝賀ムード一色の中でのテレビ中継でお茶の間で見ることができたのは望外の幸せ。有職故実は、専門の学者の研究も難しい一つの学術。いくら学ぶより、天皇即位の実況の中継は、人々の有職故実の理解を広げた。平成の大喪の中の即位パレード（祝賀御礼の儀）は、祝意の人々も控えめだったが、令和のパレードは若い人たちであふれた。

私の「令和」元号への率直な感想は、令和、レイワは珍しく、ラ行で、ラララ、リンリン、ルンルン、赤塚不二夫の町内掃除のレレレのおじさん、レッツゴー、ロックンロールなど。明るいイメージでのラ行は、爽やか。日本の元号でラ行はない（天皇は平安時代の冷泉、後冷泉）。また、復興すらできていない地震、台風、氾濫、地球温暖化。米中対立貿易、世界経済、北方領土、政局の不安などの私たちの周囲。自国ファースト。人種差別。世界は滅亡に向かっているのだろうか。

私は12月22日、日一日と明るさを取り戻す冬至を待ちかね、ゆず風呂、カボチャ。これから日々明るくなると、天照大神（あまてらすおおかみ）を迎えた「手力男之命（たぢからおのみこと）」が天（あま）の岩戸（いわと）を開くのを待つ心境。「トヨアシハラチイホアキノミズホノ国ハコレワガウミノ子の君タルベキ国ナリ」。小学時代のテストで皇統丸暗記。124代昭和皇位まで小学4年生の必修。「神武(じんむ)、綏靖(すいぜい)、安寧(あんねい)——」。この歴代天皇から皇統が現在に至るのは正に「アメツチトトモニキワマリナカルベシ」。

天孫降臨に賜ったイザナギ之命の勅語。

変動する世界
――伝統文化のやすらぎ

〈令和2年1月18日(土)〉

令和元旦も箱根駅伝で私の一年が始まった。読売新聞社前から、箱根往復10区を若い力が21チームで全力疾走、来年出場可能の10校シード権を競う。昨年は中継点が視野に入り、目指す走者、待つ走者、時間切れで心を残してたつ瞬間の走者、たすきをもう渡せないのに死力の走者。感動の涙。今年は、中央大と創価大のシード権争いと1号車青山学院大の栄光が華々しく、放映され、編集部の方針でアピールが違うなーと少し冷静になった。

小寒、大寒と時の流れは早いが、暖冬の今年、雪の足りない札幌の雪まつりの準備も大変。同じ時期、昔、私が居住した長崎は、中華街主催の春節を祝う伝統のランタン祭りの最中。先年、知人からランタン祭りに招かれて日本、中国文化混然と長崎に根付いた祭りを堪能した。黄色のランタンが張り巡らされた中華街を抜けると孔子廟（びょう）。この前で信じられない芸術に出合った。日本各地でも有名な中国固有の京劇に由来する「変面」。京劇の衣装で舞いながら腕を大きく顔の前で回す途端に、京劇の彩られた華やかな顔に変わる。交差するたびに顔が変わる。まさかと思いつつ皆ぼうぜん。交差する瞬間に全く違う京劇の顔が現れる。美女、豪傑、悪人の顔に合わせて見事に舞が始まる。これが全て一人舞台。

ネットで「川劇変面王姜鵬」のホームページをご覧ください。中国国家一級俳優「姜鵬」の伝統文化。そして、中国伝統の二胡、馬頭琴の哀愁をおびた音楽は、私たち日常の心の中にポッカリ空いた穴を埋めながら、「変面」に癒やされるという不思議な効果がある。

歴史の浅い中華人民共和国とは違い、伝統の京劇は中華民国で２００年の歴史の一部。

私たちが、あまり接することのない中国古代文化は、独自に洗練していったが、私たちは漢字、仏教、教育、武術あらゆる文化を輸入した。古代中国文化なくしては、今の日本文化がここまで育たなかった。古代中国文化は変動の時代の安らぎ。

新型コロナウイルス
――公開遅れ試される管理力

〈令和2年2月4日(火)〉

相次ぐキャンセルで、大打撃の訪日観光、関連する全ての経済が大打撃。「東京2020」を合言葉に、昨年末のラグビーワンチーム、新年の初場所で徳勝龍優勝で土俵上の男泣き。来たる夏に向け上昇気流の私たちは、平和の祭典で世界の平和を象徴する中心の国になる誇りで、少々の誤差はあったもの準備万端の手はずは整っているところ、このコロナウイルス発生。1週間で世界は大混乱に陥った。

隠ぺいも疑われた中国武漢当局の初動の遅れで、またたく間に世界各国に航空機を通して拡散した、新型コロナウイルス。インフル、はしかと同じ飛まつ、接触感染だが、潜伏期間中も感染するらしく、自覚症状がなくても免疫力の弱い人が感染するという。インフル、はしかほどの感染力はないというがヒートアップするメディアに、日本政府は素早い対応で応えた。

武漢在留邦人で、帰国希望の邦人にチャーター機を出す。当初は4機の手配が、武漢側の都合で、29日、全日空が1機帰国。到着後、帰国者の安堵の表情に私たちは「お帰りなさい」のねぎらいの気持ち。他国で邦人の救出は政府専用機を使うが、乗員はすべて航空自衛隊員、専用機は航空自衛隊所属。刺激も考えてANA3機となった。しかしこれも武漢政府都合で、希望者全員の即時帰国は難しい中、世界に先駆け、早い邦人帰国手配の判断は、海外活躍邦人にどれほどの支えになったか。

第2次世界大戦後、ボロボロになった海外の邦人が求めたのは、焼け野原ボロボロの母国への帰国。食うや食わずの中、無条件で、北から南から大陸から邦人帰国の手配をした政府。無力の兵士、民間人も帰国に希望をつなぎ酷寒、酷暑に耐えた。極貧の中、食物を分け合った。同胞だから。母国だから。

昔、私は海外で、日本大使館前を通るときの国旗が誇らしく日本のオーラを感じたものだ。

世界的なコロナ肺炎パニックで、改めて各国の危機管理判断力が分かった気がする。

早かった政府対応だが
——画竜点睛を欠く

〈令和2年2月5日(水)〉

1月30日、耳を疑うショックで眠れなかった。外見は冷静温和な官房長官の口から「武漢チャーター機の搭乗実費8万円を徴収」にあ然。これが母国の政府の本音か——。選挙違反疑惑の某女性議員に、1億円余りの給付を「妥当」と平然なのに。突然の事態に、危機管理の不備で、応急処置の不手際はあるにしろ、一番被害を受けた邦人に、「チャーター費を請求」とは。国の大出費も分かるが、むしろ見舞金くらい考えてほしい。

第2次世界大戦で、北に南に国の誇りを掛けて居留していた日本人は、敗戦で力尽きた母国に、自分たちも気力を振り絞り、シラミだらけで、貧しい政府がやっと調達した「引揚船」で母国日本に生きて帰れるのが外地在留民の唯一の希望だった。当時の鈴木内閣は、無力になった兵士も、病に苦しむ親子も、時には引揚船すら沈没させる戦勝国の暴虐にも耐え帰国を受け止めた。国策で外地在留の邦人帰国は、政府も船も命懸けだった。

この度の新型肺炎も世界に先駆け、救出に、当初チャーター機ANA3機と、政府専用機1機を予定。専用機は、天皇・政府首脳、そして海外紛争地の一般邦人救出が使命。専用機は航空自衛隊所属、乗員も隊員。これは余計な刺激を避けるためかと感心したが、専用機では料金が取れないのでANA4機に決めたのかと勘ぐってしまった。翌日、さすがに総理は「政府が8万円を負担する方向―」。当たり前。緊急事態で仕事を中断し引き揚げを判断したら、手続きの調整に時間を要するなら、私なら即「私財を投入してでも即刻チャーター機を救出に向かわせる」と発言する。もしこのとっさの発言があれば、森友、桜、疑惑議員に巨額の給付などへの炎上もいくらか沈静化したかも。もし総理個人負担の発言があれば法的には無理だが、その人間味に感心されたかも知れない。

直後、埼玉の隔離施設で内閣官房職員飛び降り自殺。彼は帰国者のクレーム処置、部屋割り担当不備で感染者が出るなど、彼一人の責任感の重圧を思うと内閣官房室の責任は重い。

悲運のプリンセス
――屈辱の中のプライド

〈令和2年2月20日(木)〉

裕福なアジア一帯に君臨するプリンセスとして、英国船籍、米国経営、日本の三菱長崎造船所で誕生した「ダイヤモンドプリンセス」。長崎造船所は、第2次世界大戦中、戦艦大和の2号「武蔵」を誕生させた世界一の造船所。しかし栄光のプリンセスは進水式後、床面積4割を失う大火災事故に襲われ納期が迫る中、祝賀に入港していた同じ三菱造船所の妹サファイアプリンセスを急きょ130億円かけて改造し、「ダイヤモンドプリンセス」として、数カ月遅れで納入されたいわば難産の彼女は華麗なプリンセスに成長。しかし今回の「コロナ」で彼女が決して見せることのなかった汚物処理の往復など過熱の報道や船内密閉で汚染が広がるなどの屈辱に耐え、それでも帰港して船首逆の着岸で乗客をいたわり、煌々と船窓をきらめかせるプリンセスのプライドは、気高くさえある。

世界中、コロナという未知との遭遇に浮き足立っている時、日本は一番に邦人を引き揚げた。手探りでも帰国者に対応し、元来はここで終息。しかし横浜にプリンセス寄港。観光客は、次々汚染され膨大な乗客の安全対応という、降って湧いた天災の日本。寄港がなかったら。カンボジアのように、寄港後すぐ陽陰を選別して陽性以外各国にさっさと送還すればよかったのにと悔やんでも仕方がないが、苦闘する日本を米国、英国、カナダ、韓国などのメディアからの袋だたき。終息の見える今頃になりチャーター便を出す厚かましさ。武漢から引き揚げで8万円を引揚者に請求しようと考えた政府の甘さは、世界のしたたかさに改めてまわしを締め直してもらいたい。

パスポートの必要な船内は外国。日本には入国手続きが必要で、元来英国籍

の船は英国の責任なのに日本の治療提供は当然英国に感謝されるべき。
　この中ダイヤモンドプリンセスは、各国の駆け引きの中、全てが終わるまで生まれた国、日本に横付けになっている。消毒の後、しばらく休息してほしい。
　おつかれさまでした。

大人のいじめ
——神戸教諭間のパワハラ

〈令和2年3月4日(水)〉

生物が存在するためには、弱者が排除され自然淘汰（とうた）の中で強い種が進化していく。ヒトは二足歩行するようになり脳が発達して、強弱がバランスをとり協調する知性を持つようになったが、この知性を育てる指導者たちが弱い同僚にパワハラを繰り返し、しかも動画で発信するとは、首狩り族が相手の首をとった自慢で振り回しているようなもの。逃げようのない環境下のいじめに挫折して自殺する若者さえいる。しかし時は過ぎる。上下はやがて逆転し、神戸教諭間でのカレーを押し込まれた若者も世論に救われたと思う。

昔、私もパワハラを受けた経験がある。小1の教科書、「サイタサイタ　サクラガサイタ」今も花は桜。「コイコイ　シロコイ」。動物は犬。「ススメススメ　ヘイタイススメ」。陸、海、空各自衛隊には友人も多い。次の「アオイソラニ　ギンノツバサ」。当時のカラー教科書の飛行機に感動以来、空は私の夢。

北海道で初めて私が仲間と軽飛行訓練を釧路空港で始めた当時、一人の管制官から今でいうパワハラにあった。着陸許可申請すると直進入ではなく、場周経路を命じられ滑走路の外側を1周の上「ターニングレポート」と必ず指示。着陸のためプロペラ回転数を下げ、重くなる機首を上げるために頭上のトリムを回しフラップを上げる動作の上、機首を90度ターンしながらマイクを取って許可を取る指示。まさに命懸け。やっと着陸後、プランクローズに行くと「釧路英語で意味不明」。着陸前減速の苦労はタワーからよく見えているのに。しかし前後に着陸したＴＤＡの機長たちからよく「聞いてましたよ。頑張って下さい」。

控えのキャンピングカーに戻ると無線を聞いていた仲間たちが励ましてくれ

たりで元気が出たが、いじめは一人で抱え込まず仲間との連帯感が自分を助けてくれる。一人で抱え込まないこと。
その後、地上無線で偶然この管制官が東京航空局審査官たち操縦の機の導入方法で激しく叱責されているのを聞いた。直後彼は転勤になった。

分断から統一へ
――新型コロナの先の目標

〈令和2年4月17日(金)〉

戦後最大の危機、新型コロナウイルスの襲撃は、人類が予想もしなかった未知、生物ではなく、無機物でもなく、自分のタンパク質で他の生物に進入、寄生することで繁殖するというこのウイルス。生物の頂点に立つ「ヒト」は、この単細胞になすすべもなく繁殖され続けている。今、世界各国が自国の誇りを賭けて、人知を尽くしてこの侵入者と戦う日々。

しかし、すさまじいこのコロナの伝播(でんぱ)力に、手洗い・うがい・アルコール消毒が、人間の究極の抵抗。相互の飛まつ感染を防ぐ「3密」、つまり密閉空間、密集場所、密接場面の禁止協力を一国の首相が指示するありさま。加えて7都府県に緊急事態宣言を要請した。

必要最低限外出を2割にとどめた上、自宅待機。順調に運行していた都市が、2割の稼働となると当然経済的な逼迫（ひっぱく）が来る。しかし息をひそめて我慢する市民は、宣言を受けている都府県でも隣の都市への出入りや通勤は当然。なぜ愛知県だけ宣言がなかったのか不思議。愛知県側が辞退したとしても、大局的地理的にこの宣言が必要と思う。京都府も同じ。京都の文化をコロナという未知の恐怖にさらしたくないと皆思うだろう。

だだっ広い風の通るガランとした室内で、ポツンと一人で座ることが政府の理想とは。

一刻でも早い分断が解除、人の交流、物流、出入国の自由などで世界経済上昇が希望。これも各国の医療医科学の命懸けの関係者の献身があればこそ。

今、医療が崩壊すれば、やがて人類は消滅するかもしれない。ＥＵ離脱のジョンソン英首相が、国境を越え流入したウイルスに敗れたのも皮肉だが、早

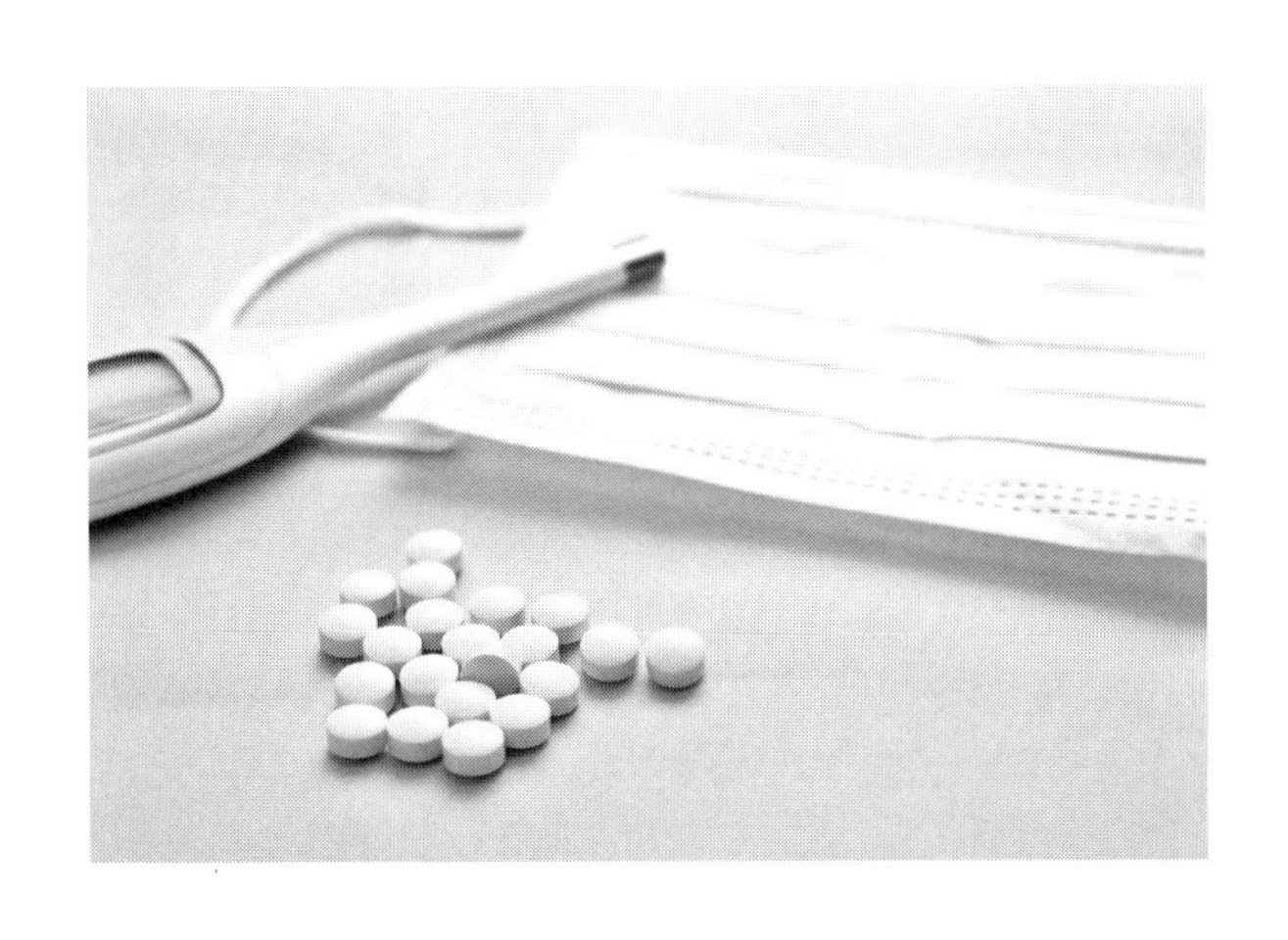

くコロナを破って、施政者は自国オンリーの思考から脱し、広く世界をつなぐこと。
人種も文化もお互いを認め、尊重し信頼して支え合い、一刻も早くロックアウトを解除させるという希望を持って前へ進もう。

命が見える
――雑草にも蟻にも

〈令和2年4月25日(土)〉

「時をかける少女」「さびしんぼう」など数々の名作映画、意外にも一世を風靡したチャールズ・ブロンソンの「うーん、マンダム」の名CM、文化賞、ベルリン国際映画賞、紫綬褒章、旭日小綬章など数々の栄光に包まれた大林宣彦映画監督が4月10日82歳で逝去した。

昔、私は瀬戸内の有名老舗旅館令嬢と、札幌老舗デパート令息の結婚披露宴に招かれ、パークホテル円卓で大林監督の隣席に座った。尾道出身の監督のおおらかなひげの温顔から底知れぬオーラが記憶に残る。

多感な少年時代に原爆の悲惨さを身近に見て戦争のむごさを現代に伝え

「命」がどんなに尊いものか、またこの命がいかに連帯して、雑草にも蟻（あり）にも、私たちと同じように、生きたいというかけがえのない希望の価値を共有するという思いを4月19日のＮＨＫクローズアップ現代で見て、改めて大林監督の思想を理解して感動した。

　私も卓上の花瓶、彼岸桜の小枝に、花が散った後の小さな芽吹きがいとしくて液体肥料を忘れず、これと卓上のツタの成長が目下の命を見る楽しみ。この〝クロ現〟で、監督の言葉が紹介された。「人はありがとうの数だけ賢くなる。ごめんなさいの数だけ美しくなる。さよならの数だけ愛を知る」自らの末期がんの余命を知る中の悔しさ。もどかしさ。あの日の隣席の優しいひげの紳士が、一生を貫いた激しさに改めて感動した。

　この季節、私に九州から箱が届く。タケノコだ。地中の孟宗竹の頑丈な根から、一雨ごとにみるみる育つタケノコは、きっちり襟元を交互に合わせ芽を守っている。妥協を許さない、相互に重なる襟元の美しさ。「命」に感動しながら切るタケノコの先端には成長の意思がある。妥協のない命の意志と改めて気付かされた大林監督の言葉。

「大林監督、ありがとうございました」「私たちの努力が足らずごめんなさい」「日本をお見守りください。さようなら」。

天然記念樹　滝桜

――日本を支える美の象徴

〈令和2年5月6日(水)〉

いよいよ北の桜の季節。造語でありながら美しい単語「桜前線」。靖国神社を3月14日にスタートしてから2カ月近く日本列島を桜色に染め上げ、今、前線は札幌を経て釧路、根室。しかし今この列島は、想像すらできなかった〝コロナ〟の大天災に色を失っている。桜を愛でる宴も禁止。世界中が暗転した希望の「2020」。しかし来年の桜前線は必ず美しいはず。

昔、国際奉仕組織団体のソロプチミスト役員当時、公務で出張の米国会議終了後、出発前から約束の福島県郡山市へ成田から直行した。ソロプチミストは主要都市にクラブという単位で存在し、リジョンでまとめられて国際本部になる。クラブはその単位。日本では福島以北1道6県を北リジョンという。この郡山クラブに迎えられ案内された坂上田村麻呂と滝桜で名高い田村市に入った。田村認証式終了後、「ぜひ案内を―」で訪れた近郊三春の滝桜。樹齢千年あまり、根回り11メートル以上、高さ135メートルから豪快な滝のようになだれ落ちるしだれ桜。咲きそめる桜花の美しさにぼうぜん。この10年後、大震災、原発、大洪水と想像を絶する大天災に遭遇するクラブ会員たちは優しく、感動する私をよろこんでくれた。今も田村クラブから滝桜の写真、資料が届く。式典10年後のあの大震災。東北の優しい会員たちは、言葉に尽くせない苦難の中、さらに10年後の今、変わらぬ連携。友情。北海道39クラブの力強さ、行動力。東北47クラブの優しさ、しなやかさの1道6県チームワークで北リジョンは活躍している。ソロプチミスト組織は、1クラブが国際と直結する奉仕団体。

今、この〝コロナ〟で世界中が停滞。しかし今年も咲いた滝桜の美しさは日本の象徴。

自分の命をかけて、この国を守る医療関係、交通、通信、水・電気、消防・警察、メディア、なにより膨大な汚染ごみを処理する人々。移動する2割はこの国を、仲間を守る人たち。この移動する2割の戦士は日本の誇り。三春の滝桜は、この戦士たちの象徴。日本の歴史に長く刻まれる。

それでも地球は動く
――ガリレオ・ガリレイ

〈令和2年5月29日(金)〉

2020年こそ、日本が世界平和のリーダーになる年と、希望に向かって出発したばかりの1月以来、悪夢のコロナ襲来で世界が一変した。が、この中でも「時」は過ぎる。

経済や文化も形式を変え、よみがえり始めた。旧知の友人元一等空佐が「昭和の日」に受章と聞いていたが、先日彼の計画、宮中参内、交通、ホテル、友人との再会全てキャンセル、授与の「瑞宝双光章」は何と郵送されてきたと聞いて、国民の一人として申し訳なく「でも褒賞金は?」とぶしつけな私に笑って「ありません」。「エー」買収容疑の新人女性参議員に1億5000万円支出しながら、この元空佐のリーダーシップ、操縦技術、地上では広報部長の重責に生涯を捧げた日本男子の潔さ。「でも表彰状は大きいですよ」となだめられ、清々しい耳に、現在紛糾している「検察庁法改正案」。世論に押されて、今国会で見送るとのニュース。私も不安な指摘の多い首相の作意を感じてはいたが、「田中角栄を逮捕した」と元検事総長、元最高検検事が登場。白髪、声高な証言で私は急に不安になった。

田中元首相は就任後、断絶の中国と国交を正常化させ、新幹線を走らせ、列島改造論で日本の景気は急上昇、前後して米国の魂と言われたロックフェラービルも買収。一方で無学の彼は、「責任は俺が取る」と優秀な官僚を心酔させた希有（けう）の大蔵大臣時代。来客に必ず「飯食ったか」。幼時の貧しかった体験の心配り。あのロッキード事件自体が米国陰謀と言われている。

「田中首相を逮捕した」と登場してきたこの二人、アクセルとブレーキを誤り、若い母子を死亡させた無表情の元高級官僚の顔と重なった。

ところが、これほどの議論を沸騰させた改正法案成立直前のうわさの検事候補、渦中の人物のなんと幼稚な愚行。仁義なきメディアとの癒着の判明。ただぼうぜん。日本に正しい三権分立は成立できるのだろうか。

それでも地球は動く。結論はやがてでる。

教科書での衝撃
――リンカーンズバースデー

〈令和2年6月23日(火)〉

「ガバメントオブザピープル、バイザピープル、アンドフォーザピープル」敵性言語と禁じられていた時代から、中学1年で突如、英語の教科書で初めてこの言葉にあった時の衝撃は、今も忘れられない。

約150年前(1861〜1865)にかけ、米国は二つの経済圏に分かれていた。工業化されていく北部、農産物、綿花で財をなした南部の各州が、産業構造の違い、奴隷制度廃止など、存続を賭けた南北戦争でアメリカ合衆国は統一された。奴隷制度を廃止した第16代大統領リンカーンはゲティスバーグで「人民の人民による人民のための政治」冒頭の演説。軍国統制で育った私たちは、この言葉のまぶしさから受けた衝撃は、暗黒の中から突如光に包まれた思いだった。しかし、リンカーンが暗殺されたあとの黒人は米国人になったが、遠くアフリカから売買された黒人の子孫たちは150年の間、教育が届かないため自制が利かず略奪、非衛生という原始に戻るときがあるかもしれないが、差別、格差社会を改善できなかった歴代の政治の貧しさは、あのリンカーンの理念から遠く離れていったことで、民主主義の存在が、今もアメリカ自身の手で傷つけられているのかと不安になる。

自国の植民地から、奴隷を売買して巨万の富を築いたコルストンの像、米大陸発見のコロンブスの像まで破壊、植民地を多く持った元英国首相チャーチルの像まで破壊されないように箱で覆われた。それに反してワシントンのリンカーン記念堂。白亜の巨大なリンカーン座像は、肘掛けの左右の手のひらと拳と指で手話のリバティーを表すとはガイドの説明。正面にキング牧師の「アイハブアドリーム」が刻まれている。

この記念堂こそ本来のアメリカの象徴。リンカーンの理念の後を継いで、米国ピープルとして黒人たちに教育、経済、平和を歴代大統領が白人と平等に与えていたら彼たちは自国を支える大きな力でアメリカはさらに偉大な国家になっていったと思う。

世界に広がる抗議活動は、世界の格差否定の象徴。

アゲハチョウ騒動
——味覚受容体細胞

〈令和2年7月7日(火)〉

私たち雑食生物からみると、桑の葉だけで絹糸になる繭をつくる蚕、笹だけのパンダ、ユーカリだけのコアラなど不思議に思えるが、この生物たちは、味覚受容体という細胞でタンパク質をつくるという。

ネットで慌てて調べたその訳は、去年小鉢で買ったサンショウの苗がベランダで、30～40センチ数本に育ち、「木の芽あえ」の1回分だなーとのぞいた鉢にふと黒い枯葉状斑点を見て、枯れたかと翌日改めて見直すと、何と黒い毛虫。慌てて前回のネットで調べるとアゲハチョウの幼虫。サンショウの葉のみで育つ幼虫はもう緑色。みるみる葉は減少して、上部は葉脈だけが残る始末。慌てて花屋、植木屋へ連絡、誰もあっけに取られていたが、「時々探す方がいます」。害虫として排除する方法をネットで自慢げな報告もある中で、他にもこの育て方を探す人がいたんだ！とうれしい発見。

それにしても母チョウは何を食べ何を考えてこんなに置いていっただろうと、つくづく途方に暮れたが「そうだ九州！」。高校以来の友人に電話するとけげんな声のなか笑い出して「まかせとき」。

まさにコロンブスの卵。すぐにサンショウが到着する。この幼虫移動手段は「落下」らしい。葉を付け根から食べ始め、葉脈だけとし、残りの一枚にすがったままやがて落ちる。幼虫のぶらさがった葉脈をはさみで切って他の葉に移す。ヤレヤレ。

しかし、同じ卵でも今忙しい河井議員夫妻

の周辺。いろいろ考えを巡らせてでも結果はコロンブスの卵、どれほど知恵を絞ったか知れないが、内閣のトップたちが総力を挙げて応援すること自体、票の買収が横行したことすら知らないずさんな内閣に、私たちの命運を託しているのかと不安になる。

安倍首相は、任命時に身辺調査をする能力不足なのだろうか。大臣任命後の地元の破廉恥な買収は、コロンブスの卵以前。卵の殻を割っていれば、当然内閣がこぞって応援する醜態もなかったのに。

ステイホームの収穫
――一寸の虫にも五分の魂物語

〈令和2年7月18日(土)〉

「想定外」が日常化している現在、私が全く想定外の飼育をする羽目になったアゲハチョウの幼虫。餌はサンショウの葉。補充に窮し九州の友人にＳＯＳ。せっかくのコロンブスの卵の名案も小枝が水あげが不能。

ぬれ新聞の冷蔵庫から器に移すとすぐパサパサ、箱に並べて移すと落ち着かず、不満げな幼虫。箱の縁に登ってひたすら箱の周りをめぐる。そっと指を出すとマッチ状の首を伸ばして左右をしきりに確かめる。近づけると1ミリ程の黄色い角を出し威嚇のつもり。体を触ると向きを変え、逆方向にクネクネと反抗的。しかし落下のたび指を床に伸ばしてやると、何と最近は自分で近づき、

さっさと指先へ。遅れると手のひらに進入。慣れてきた様子が何ともかわいい。幸い先日、植木屋からの連絡で、とりあえずサンショウ苗2鉢が届いた。ところが枝の争奪戦がすさまじく、餌満腹のあと、苗木の頂上を大小それぞれが争奪戦。「大」の幼虫の後から「小」がまっしぐらに「大」の背中に乗り頂上へ。「大」は黄色の角を出して威嚇、押しのける。「小」はスゴスゴと下降、落下して床に落

ちる。指を伸ばすと「小」はいそいそと指につかまる。しかし落下ごとに指を出すのも大変。給食費負担の決心で、1鉢1000円の苗を1匹1鉢の大奮発。先日の2鉢は戦力外で1匹1鉢のサンショウ苗。チョウの羽化後の始末はどうしよう?。「そうだ」、昔私が釧路警察審議会という第三者委員会会長時代、当時釧路警察署長は後の道警元方面本部長久門孝三氏。今もこのご縁で交流があり、以前私の大事なフウセンカズラの種をお送りして、今は逆にその種を頂いている。10鉢苗の始末をお願いすると笑いながら「いいですよ」。アゲハチョウ羽化後の裸のサンショウの行き先も決まった。

ステイホームやソーシャルディスタンスでも世界は広がり「手乗り青虫」の社会との交流も深まった。一寸の虫にも五分の魂。感情があるとしか思えない幼虫の世界。大林宣彦映画監督の「命がみえる」「雑草にも蟻にも」の言葉を実感したステイホームだった。

「いのち」の神秘
――アイ・アム・ア・バタフライ

〈令和2年7月29日(水)〉

朝、食卓横のレースカーテンが微妙に揺れている。もしやと、そっとめくると、アーッいた、キアゲハチョウ。レースに留まったり、ガラスを滑ったり。慌ててスマホ撮影、なかなか画面に収まらない。「わんぱくチョウ太郎」に決めた。名残惜しく窓ガラス戸を開くと、ひらひらと舞い上がり去っていった。

名残惜しい気持ちは翌朝、今度は落ち着いてサンショウの鉢の横に留まる、しっかり者イメージの「しっかりチョウ次郎」へ。網戸に留まる羽を撮ったが、斜めに留まる癖あり。元気よく飛び去った次の日の外は雨。なぜか床にいた「雨のチョウ三郎」。網戸に移って静か。飛ぶのは危険だと思い網戸のまま、セコムさえもオフにして一泊させる。ハチミツを気休めに置いたが、翌日朝5時「雨のチョウ三郎」は、網戸で私が指で押す場所に素直な撮影ポーズ。つくづく彼の4枚の羽を見ると、この美しさは教会のステンドグラスさながら。左右対象で黄金色を黒の曲線がふちどり細分され、広い枠から黒線が細やかに分かれ、濃淡ありポチリと赤まで尾翼にある。とにかく美しい。モンシロチョウのように、静止時に羽を閉じるのではなく、羽を広げるのが安定スタイル。ステンドグラスのサンプルが翔んでいるようなものなんだー。枯葉にも見えた毛虫から、体内に液体しかないような、くねくねとした青虫、それがサナギになり、羽化した瞬間から、このような華麗なデザインで左右シンメトリカルな宝石の変化で、新しく誕生することの神秘と、畏敬にうたれている。

昨日まで苗木の頂上の青虫を私は「ドジのチョウ介」と呼んでいたが、今朝はもう沈黙のサナギになりかけている。ドジ扱いでごめんね。首をのばして私の指見てたのに──。

サンショウの葉を通じ九州の友人、植木屋、花屋、それぞれが幼虫の成長を助けてくれた。

羽化のニュースに、この人たちも大喜び。「青虫なんてー」と嫌がった人もアゲハ画像に「すごい！」。先入観にとらわれないこと。皆の結論。

チョウの残した教訓

――自然の優しさ人間の愚かさ

〈令和2年8月5日(水)〉

「わが母に勝る母あらめやも」有名な歌が残した至福の感覚。羽化が一番遅れた「ドジのチョウ介」。緑の1・5センチのさなぎになってサンショウの根元にいた彼が今朝、食べ尽くされた葉脈の先で十円玉大の羽化途中のチョウ介を発見した。午後、美しく大きな羽になり緩やかに羽ばたいている。おめでとう！そっと葉脈からすくい取るといそいそと私の指先へ。爪先でゆっくり羽を開閉し周囲を見回している。チョウ太郎、二郎、三郎もそれぞれの出発。ところがチョウ介が私にまとわりつく不思議は、きっと「わが母に勝る母と思っているなー」。

食うか食われるか、天敵をいかに避けるかの本能だけが昆虫と思っていたのにー。彼はきっと私に母の感情ありと思っている新学説を想像するのも、この2カ月間チョウの育児の恩返し。幼虫時代は「ドジ」といわれながら拾い上げてもらっていたことを忘れてないんだー。指先で羽ばたく「チョウ介」がかわいかった。でも羽化のエネルギー、大きく羽ばたくカロリーを考えると、やはり自然に帰そうと指先で、羽幅8チセンに広がる宝石の抵抗する彼を外に放ると、しおしおと消えた。ごめんねー。

今私はアゲハロス。

気分転換に付けたテレビで、何と安倍首相が、韓国の慰安婦少女像前の土下座平伏の画面。歴史的に清、ロシアの植民地で日露戦争戦勝国への賠償で日本併合となった朝鮮民族。歴史的な怨念は慰安婦、徴用工、政府間の決定も政権交代になれば、平気で破棄して再要求。しかし日本が無条件で半導体材料を輸出する「ホワイト国」から、韓国を条件付き輸出に切り替えると、なんとあの逆上ぶり。大体日本が最初からこれを告知しておけば「李承晩ライン」、竹島、慰安婦、徴用工、日本企業の資産差し押さえなどここまで暴走することはなかったと思う。

私たちも知らなかった半導体切り札の輸出禁止を先になぜ言わなかったのか。葵の印籠を最後に見せる日本。最初から印籠でＰＲ必要の民族との温度差。信頼関係で見事に育ったチョウの美しさとは大違い。

〈令和2年8月14日（金）〉

「平和の旋律」
――愛の伝道師 細川真理子氏

75年前の8月6日、広島原爆投下、9日に長崎の原爆、老若男女形あるもの全て壊滅し、焼けただれた日本は、15日敗戦の詔勅。雑音のラジオと灼熱の炎天。今、「原爆は必要なかった」。と米国有力紙の論説。今さら何を――。当然だ。

75年目の原爆の日に先立ち、札幌こどもミュージカル代表細川真理子氏が逝去。長崎の牧師を父に持つクリスチャンの彼女は戦争のむごさ、原爆で壊滅された社会を現代の子供たちに、平和の尊さを35年間教え続けたこどもミュージカル。この功績でやがて、バチカン、ベネディクト教皇に招かれ、手厚い祝福を受けた。

　当時、バチカンから長崎に派遣のゼノ修道士、焼けただれた市民たちへの慈愛は、こどもミュージカルの発信で教皇から破格の待遇、この記録がＳＴＶから放送と、大君細川忍院長の連絡を受け録画を思い立ったが、機械が不調。困った。時間が足りない。頼みの北病院は電気点検工事中。大至急の案件だ。そうだ、困ったときの潤子頼み。

　昔、金安市議は、私たちソロプチミスト釧路が5周年記念に設立の若いベンチャーという組織の会長。彼女はここから全国ベンチャークラブトップのガバナー。私は職責で全国担当。彼女と沖縄、九州、関西と合流が多かった。沖縄大会の時、壇上右端で若者の熱気に感心していると、不意に下からの鋭い質問。準備もない―と思った瞬間、壇上中央のガバナーが、ロバート議事法のページを広げて「ここ、ここ」と卓上急送。せき払いして体面を保ったのも金安ガバナーの機転。彼女に録画依頼をと連絡すると、昔ながらの判断の速さ。

録画は手元に順調に届いた。この製品を細川院長に連絡すると「ぜひ」と希望があった。このＤＶＤの配布をＳＴＶに確認後、細川先生に。番組を見逃した人たちに「平和の旋律」が届くことで平和の一助になれば––。

戦争を知らない世代が見逃したこの特別番組「平和の旋律」で、細川真理子氏の功績と共に、多くの関係者の無限の愛と協力に感動してほしい。

〈令和2年8月31日(月)〉

「巷論」の世界から

——骨太の方針と成長政策への出発

２００６年1月28日、バブル崩壊象徴事件、私の「ホリエモン逮捕」から始まった「巷論」が、この２０２０年8月31日で終了する。今、社会が新型コロナで大混乱の中、ＮＨＫが「ウィズコロナ」を力強く生きるため、かつてない改革、「骨太の方針」に大きく舵を切り、各メディアも編集を改革して行く。

昔、「何を書いてもいい、自由な発想で」と釧路新聞「番茶の味」コラムに、故高橋一美編集局長から迎えられた。元来「釧新ビル」と私の所属「中央病院」は隣同士、故片山睦三社長ご家族とは家族ぐるみのおつきあい。歴代各編集局長の激励の中、度々のエッセー寄稿は限りなく昔、日飛連主催フロリダからロサンゼルスまで、チェロキー新機9機を3人のプロと私たち男女アマパイロット10人余りでフェリーしたフライトエッセーは、大変好評いただいた記憶がある。

友人家族とレンタカーで走ったヨーロッパでは、ローマでオックスフォード帰りの皇太子と意気投合したり、パリで日本人画家の広いアトリエに二家族で居候、驚いたことに夫人は男性、イケメンの仏人警官。朝食の「プチデジュネ」が懐かしい。帰国前日、ムーランルージュ舞台で坂本九の「スキヤキ」で劇場が歓迎してくれた。帰国当日夕方、坂本九の飛行機事故のニュースは衝撃だった。また「遥かなるシルクロード」は西安を起点に、古代中国大陸の歴史文化、その美しさ。敦煌、莫高窟、鳴沙山。楊貴妃の華清宮殿、兵馬俑。どれも多くの反響を頂いた。

長編のエッセーの経験はあっても「番茶の味」で初めてコラムの難しさ、達成感を知った。その後さらに「自由な発想で」とこの「巷論」で巷(ちまた)の声を届けるようにと８００字を委ねられた。

押しつけという「君が代」の反発は、古今和歌集の読み人知らずの庶民の歌ということで沈静。福島原発「地上の神」で、佐藤元知事自著「知事抹殺」を頂くなど、無限の広がり。言論の自由の象徴８００字を頂いた釧路新聞社、応援頂いた読者の皆さまに心からお礼申し上げます。14年間本当にありがとうございました。

串﨑　英子

忘れないうちに 今 [第２集]

発 行 日：2023(令和５)年９月18日
著 者：串 﨑 英 子
発 行 所：共同文化社
〒060-0033 札幌市中央区北３条東５丁目
☎011-251-8078 FAX 011-232-8228
https://www.kyodo-bunkasya.net
印刷・製本：株式会社アイワード

ISBN 978-4-87739-388-5